A FADA

CB134740

CAROLINA MUNHÓZ

A FADA

Fantasy
Casa da Palavra

Copyright © 2009, 2012 Carolina Munhóz
Copyright © 2012 Casa da Palavra
Todos os direitos reservados e protegidos pela Lei 9.610, de 19.2.1998.
É proibida a reprodução total ou parcial sem a expressa anuência da editora.

Este livro foi revisado segundo o Novo Acordo Ortográfico da Língua Portuguesa.

Direção editorial
Martha Ribas
Ana Cecilia Impellizieri Martins

Coordenador do selo Fantasy
Raphael Draccon

Editora de textos
Fernanda Cardoso Zimmerhansl

Editora assistente
Beatriz Sarlo

Preparação de textos
Mariana Oliveira

Revisão
Tiago Ramos

Capa
Rico Bacellar

Foto de capa
Shutterstock

Diagramação
Abreu's System

CIP-BRASIL. CATALOGAÇÃO-NA-FONTE
SINDICATO NACIONAL DOS EDITORES DE LIVROS, RJ

M932f

Munhóz, Carolina
A fada / Carolina Munhóz. – Rio de Janeiro: Casa da Palavra, 2012.

ISBN 978-85-7734-303-4

1. Fadas – Ficção. 2. Fantasia – Ficção. 3. Ficção brasileira. I. Título.

12-7413

CDD: 869.93
CDU: 821.134.3(81)-3

CASA DA PALAVRA PRODUÇÃO EDITORIAL
Av. Calógeras, 6, sala 1.001, Centro
Rio de Janeiro RJ 20030-070
21.2222-3167 21.2224-7461
divulga@casadapalavra.com.br
www.casadapalavra.com.br

"Toda vez que você diz que não acredita em fadas,
uma fada morre."

Peter Pan – J.M. Barrie

Para João, Cléo e Carla,
as pessoas que eu amo,
e para a minha eterna Mel

Ilumine com sua luz as trevas que o circundam.
Nada acontece ao homem que sua natureza
não esteja preparada para suportar.

20 DE FEVEREIRO

Nove meses antes

"Feliz aniversário, Mel!"

Ainda podia ouvir como se fosse um sussurro, longe, fraco, uma tênue lembrança de anos atrás. Havia sido há poucas horas, mas poderia ter sido há séculos. Foi dito logo antes de me deitar e ficar naquele estado de sonolência chata, em que não se dorme, mas também não se está exatamente acordado. Fiquei pensando: *Caramba! Já seria meu aniversário?* Aquele dia estava sendo uma surpresa por dois motivos: um porque não me lembrava desta data estúpida, já que sempre foi ignorada em minha família, e a data correta nem era aquele dia, apenas o seguinte. O outro motivo de surpresa conseguia ser ainda mais esquisito. Aquela noite havia tido minha primeira festa de aniversário.

Quando cheguei em casa as luzes estavam apagadas. Até aí, tudo bem. Meus pais nunca foram do tipo de pessoas que fica assistindo televisão na sala. Ao abrir a porta levei um susto que quase fez meu coração sair rolando pelo carpete. A sala encheu-se do dourado flamejante das velas de aniversário, em cima de um bolo cor-de-rosa, com meu nome escrito um pouco torto. Um bolo provavelmente comprado em doceria chique, com detalhes que me lembravam os dos casamentos reais. O grito de "surpresa" havia sido animado, divertido, mesmo que emitido por poucas vozes. Os olhos varreram a sala, e o rosto de cada um dos presentes foi distinguindo-se. O coração ainda afundava no peito, mas mesmo assim abri os braços, coloquei um sorriso nos lábios e distribui abraços. Sentia-me chocada, até um pouco brava com a atitude, mas sabia que aquilo fora feito com a melhor das intenções. Talvez o meu método de ignorar este dia finalmente tivesse tocado meus pais.

A sala havia sido iluminada com luzes extras, provavelmente da decoração de Natal guardada no porão. Havia balões coloridos por todos os lados e uma faixa por cima da porta anunciando "Feliz Aniversário, Melanie Aine!". Nunca havia visto minha casa tão festiva. Balões me pareciam um esforço muito grande. Então isso que era ter uma festa de aniversário? Tudo bem que aquilo não podia ser chamado exatamente de festa. Era quase uma reunião familiar. Estavam presentes apenas meus pais e um casal de amigos. Somente adultos e eu. Bem... poderia me incluir nos adultos, afinal, na virada daquele dia completaria 18 anos. Em muitos países a maioridade é atingida nessa idade. Contudo estava longe de ser uma mulher adulta, madura, desenvolvida. Sempre fui uma menina solitária, esquisita, que fazia coisas estranhas. Ainda sou assim. Até entendia o fato de nunca ter tido uma festa de aniversário. No final das contas... quem viria para uma comemoração minha? Ainda mais em uma casa que parecia um castelo medieval, localizada perto de Epping Forest – há quase uma hora de Londres, sem trânsito. Transporte público era algo raro pelas redondezas, então chamar um conhecido para viajar todo esse tempo somente para comer um pedaço de bolo com a garota esquisita seria pedir demais. Chegava a ficar triste pelos meus dois amigos que ainda teriam de voltar para a cidade grande.

Eu parecia realmente muito assustada, como se achasse que poderia estar tendo uma alucinação. Precisei esfregar os olhos várias vezes durante a festa, para ter certeza de que não estava dormindo. Dormir. Isso parecia bom. Mas naquele dia não funcionaria. Já era quase meia-noite, tinha aula no dia seguinte e nada do maldito sono vir. Daria tudo para que minha mente parasse de pensar. O mais engraçado era saber que minha boca seca pedia água para aliviar o gosto amargo, só que eu não tinha forças para abrir os olhos. Poderia eu estar dormindo e conversando comigo mesma no meu sonho? Talvez sim. Eu tinha tendência ao *anormal.* Só sabia que não parava de recordar aquela noite inesquecível.

Lembrei que quase no fim da festa meu pai me chamou na varanda para ver os vaga-lumes piscarem por entre as árvores da floresta escura, feito luzes estroboscópicas.

– Parecem fadinhas... – sussurrei como em um pensamento, sentando-me na cadeira de balanço, mas meu pai sorriu com o comentário.

Sabia que me chamava para falar sobre algo sério. Sempre foi assim. Ele ficava observando o pisca-pisca dos vaga-lumes, enquanto falava de assuntos estranhos que fazia meu peito doer.

– Querida, lembra-se de quando lhe pedi que escolhesse uma nova língua para aprender?

– Claro que me lembro. No final, até gostei de aprender latim.

– Então, fiz uma promessa que te ensinaria palavras especiais e hoje a cumpro – respondeu me entregando o pacote.

Um presente! Além de uma festa, estava recebendo um presente no dia do meu aniversário. Ninguém conseguiria entender a imensa felicidade que senti. Os fogos de artifício explodindo no peito. A sensação de ser uma pessoa normal. Ter pais normais. Pais que davam presentes em datas comemorativas.

Recebi um livro grosso, marrom, muito velho, talvez até mofado. Mas não ligava. Porque ele era meu. Havia sido dado por meu pai. De acordo com ele, o livro possuía palavras de poder... especiais. Eu deveria aprendê-las para quando precisasse pronunciá-las. Aquilo não fazia o menor sentido para mim, mas nem liguei. Depois veria a utilidade do livro. O importante foi o abraço forte que dei no meu pai e o "eu te amo" sussurrado.

A festa terminou, agradeci a todos pela surpresa e fui para o quarto, ainda acordada mas quase dormindo. Empanturrada de bolo. Poderia ter sido isso o que prejudicou meu sono? Bobagem!

Estava assim por saber que dali a alguns segundos seria uma "adulta". Uma adulta com festa de aniversário.

Na minha cabeça contava: 9, 8, 7, 6, 5, 4, 3, 2...

Pânico.

A dor ultrapassava qualquer limite, fazendo meu corpo se retorcer involuntariamente. Ele se mexia, mas não conseguia acordar. Era uma dor atroz, paralisante. Não entendia o que estava acontecendo. Como era possível que eu sentisse essa cruel sensação, que ardia os nervos, sem ao menos gritar? Muito em breve atravessaria um limite invisível e me sentiria tão mal que já não poderia manter a ilusão de uma vida. Se a dor continuasse aumentando, talvez cederia à morte, mas não desejava aquilo. Não podia morrer.

Lutei para a mente acordar. Fazia um enorme esforço, quase sobre-humano, tentando abrir as pálpebras. Nada. Nem um fio de luz entrando pelas brechas dos olhos. A queimação vinha de uma área nas costas, na lombar, quase perto das nádegas. Senti um cheiro de queimado. Forte. A princípio ruim e, aos poucos, assemelhava-se ao cheiro de canela. Aquilo impregnou as narinas, como se estivesse intoxicando os pulmões. Tinha a sensação de que minha pele estava se rasgando em várias partes. O que acontecia comigo? Parecia castigo, uma punição, provavelmente por algo realizado. Mas o quê?

No ápice da dor, quando pensei não mais aguentar, ouvi um grito. Grito? Mas minha voz continuava sufocada. Como eu poderia ter gritado?

Outra vez o grito. Mais nítido. Intenso. Como se fosse um pedido de misericórdia. A voz não era minha. Parecia ser masculina. Aos poucos o cérebro foi juntando os pedaços. Qual a única voz masculina na casa? Despertei. Meu pai.

Dando um pulo na cama, ignorei completamente a dor, os espasmos e o cheiro. Eles pareciam uma memória distante, assim como o aniversário e o presente. Meu pai estava em perigo e eu sentia as mãos atadas. O que eu poderia fazer? Havia acontecido alguma coisa?

Antes de sair desesperada do quarto, tropeçando em ursinhos de pelúcia remendados, resolvi parar em frente ao espelho.

Virei-me de costas e vi a vermelhidão.

Havia a imagem de uma fada. Um desenho preto com aparência envelhecida, ainda saltando da pele machucada. Parecia uma tatuagem. Mas a dor de se fazer uma daquelas não poderia ser tão violenta. Por que existia uma fada com asas abertas em minha cintura?

O grito. Esses cinco segundos que levei para observar o misterioso desenho poderiam ser decisivos no resgate de meu pai. Saí correndo.

Naquele momento minha vida mudava, para nunca mais ser a mesma.

O surgimento de uma fada pode fazer coisas assim.

23 DE OUTUBRO

1

Jovens costumam ganhar presentes caros, viagens ou festas surpresas em aniversários de 18 anos. Eu ganhei o falecimento do meu pai, o abandono de minha mãe, uma estranha tatuagem e a descoberta de que não era humana.

Definitivamente, é difícil esquecer coisas assim.

– Mel – perguntava a mim mesma em plena Trafalgar Square –, é normal mesmo você passar horas sentada à beira desta fonte todos os dias?

Normal, normal... nunca pareceu ser. Afinal, o que significaria ser normal em uma vida assim? Ao menos Londres sempre fora uma cidade mística, ainda mais daquele ângulo, do qual se via a intensa luz do sol que se misturava às águas trêmulas da fonte, criando reflexos brilhantes como pedras preciosas. Sentia haver um simbolismo de vitória naquela praça que sempre me fascinou. Gostava de observar a imagem esculpida em pedra, oriunda de um trabalho digno de um ferreiro anão tolkieniano, que reproduzia a imagem do almirante inglês Horatio Nelson, herói nas Guerras Napoleônicas e considerado por muitos o maior gênio em estratégia naval já existente.

A Coluna de Nelson era um imenso monumento que ficava no meio da Trafalgar Square, que eternizava nos céus, a mais de quarenta metros de altura, um dos maiores guerreiros do mar. Ele me lembrava da magia dos antigos heróis e passava o ensinamento de que uma existência memorável envolvia o sacrifício por um bem maior. Havia algum tipo de beleza nisso. O que era sombrio, eu sei. Mas havia certa poesia desenhada em grafite de cores escuras naquela estátua. Ou ao menos deveria haver.

Todos os dias eu comprava um copo de chá no pub do outro lado da praça e voltava para a fonte, onde observava turistas espalhafatosos ou desacostumados com o frio londrino admirando o monumento. Um monumento solitário como eu. Na verdade, Lord Nelson até me fazia companhia, o que era irônico. Algumas vezes também surgiam amizades instantâneas com turistas que pediam informações em idiomas que nada diziam a um anglo-saxão ou se sentavam e puxavam conversa, antes de partir para um compromisso. E, às vezes, surgiam de um olhar.

Foi isso o que aconteceu naquela manhã com o menininho de boina azul e camiseta de desenho animado japonês. Ele não parava de me observar, rabiscando algo em uma prancheta já bem gasta, com uma das pontas partida. Inicialmente aquilo me deixou inquieta. Quem ele pensava que era para ficar me encarando daquela forma invasiva, feito um alienígena flácido e descabelado? Depois pensei "Calma, não precisa brigar com o menino". Como andava mal-humorada nos últimos dias. Foi quando a curiosidade atacou e desisti de tomar o meu chá para observar aquele menino. Não havia bem uma explicação lógica para isso, mas reparando o interesse do garotinho por mim, senti um medo súbito me atravessando como uma adaga.

Seria difícil não se apegar àquele rapazinho frágil parecendo um vira-lata sem dono; é uma coisa meio instintiva, e se você é uma garota, sabe bem como crianças e cachorros costumam fazer isso com a gente. Depois, ele iria crescer e escapar, igual aos caçadores vorazes, para ganhar a própria vida e assumiria uma pureza bem diferente daquela infantil. Fazer o quê? Fazia parte das regras do jogo da vida.

Aqueles dois olhinhos, que pareciam duas pedrinhas turquesas, continuavam a me espiar por debaixo da aba da boina encardida. Estariam apenas me olhando? Ou estariam observando *algo* além? Mesmo assim, eu reparava na atitude dele. Deixando a rabugice de lado, contagiei-me com a alegria, paixão e também ternura com que ele rabiscava o papel. Reparei nos gestos suaves, na expressão concentrada, na mistura de cores da aura infantil. O olhar parecia me dizer alguma coisa que eu então não entendia. Novamente me senti desconfortável. Não ficava tranquila com alguém me observando daquela maneira diferente, chegando a ser estranha. Que droga! Loucura minha ou ele olhava para mim como se estivesse... *apaixonado*? Apaixonado. É claro. Como se alguém pudesse se apaixonar por mim.

Pensando bem, fazia sentido. Com a minha sorte, se alguém fosse se apaixonar por mim em uma praça como aquela, seria exatamente um moleque sem consciência do que isso significava.

Afinal, mesmo conhecendo diariamente diferentes tipos de pessoas naquele local, eu não tinha amigos. Se contasse os que me eram queridos, os dedos de uma mão já bastariam. Aliás, pensando bem mesmo, poderia contar em apenas dois. Olinda e Vincento eram os únicos em minha vida realmente preocupados comigo. Não entendia o porquê disso. Será que eu conseguia ser tão chata assim ou seriam eles ainda mais carentes do que eu? Sabia que andava meio revoltada, de mal com a vida, mas não devia ser tão insuportável. Acho. A maioria das pessoas nem mesmo suspeitava da minha diferença, apenas eles dois sabiam o meu segredo. Então será que o garotinho poderia ser incluído na contagem de dedos? Afinal, era apenas uma criança. Crianças diziam ser inocentes, não é? Então ele poderia ser meu amigo.

Antes um moleque sem consciência de seus sentimentos do que algum cafajeste ciente de seus atos.

Que besteira. Ou talvez não. Até minha mãe, que deveria me acompanhar para o resto da vida, havia me abandonado feito uma cegonha sem apego. Com isso, tornei-me uma pessoa pessimista, parecida com uma velha amargurada olhando a vida passar de uma janela ou algum *troll* de internet descontando sua fúria nos posts de um blog pouco visitado.

A verdade era que a curiosidade por muitos anos me aguçava, quase como uma aliada. Queria saber sobre tudo. Algumas vezes isso podia ser bom, outras nem tanto. Observando o menino da praça, ela veio na medida certa para me fazer querer descobrir o que ele desenvolvia na prancheta. Pela forma como movimentava o braço esquerdo para cima e para baixo, com olhos luminosos concentrados no papel, parecia estar desenhando. Eu só precisava descobrir o quê.

Pensei em usar minhas habilidades para visualizar o desenho, mas já que eu vivia resmungando que nada de diferente acontecia comigo, por que não experimentar algo assim? Há sete meses havia descoberto minha história, entretanto já possuía minha habilidade desde os 11 anos de idade. Se a usasse para enxergar o papel, perderia aquela sensação boa de ser surpreendida. Mas que saco! O tempo passava. Se não bisbilhotasse a mente daquele maldito menino, nunca saberia do que se tratava o desenho. E, como toda mulher, odiava ficar curiosa.

Ele continuava a trocar olhares comigo, e o observei terminar seu trabalho e deixar o lápis preto apoiado na beirada da fonte, vislumbrando o desenho com uma expressão orgulhosa. A curiosidade bateu novamente em minha porta. Não aguentei.

Levantei e caminhei em sua direção. Ele ainda me olhando, dessa vez com cara de curioso. Por que simplesmente não se levantava da fonte ou virava a prancheta para me mostrar o que havia desenhado? O modo como eu o encarava deixava claro que eu queria ver, então ele devia estar me provocando. Naquele instante me veio à mente uma poderosa citação, que certa vez ouvi uma senhora comentar: "Os deuses nos dão oportunidades ao longo da vida para termos momentos mágicos. Momentos diferentes que sempre permanecerão em nossas memórias."

Para o garoto aquele deveria ser um momento desses.

Para mim, ainda precisava descobrir.

– Posso me sentar aqui? – indaguei, tentando não assustá-lo.

Ele concordou. Após me sentar, permanecemos minutos em silêncio. Longos minutos. Só que foi estranho. Sentia-me calma, com ombros relaxados e pensamentos tranquilos. Palavras não eram necessárias, nos comunicávamos pelo nosso silêncio. Sentia uma conexão inexplicável com o pequeno garoto, uma espécie de sentimento maternal sem sentido. Mas que coisa esquisita era aquela? Precisava entendê-la. O menino podia se mostrar estranho, mas percebi, olhando-o nos olhos, que era algo a mais. Havia em sua essência uma estranha magia. Existia um amor de irmão. Agora, por que o menininho magricela que parecia ter no máximo 12 anos me era tão especial? Bem... só os bons espíritos podiam saber. Ao menos eu torcia para que fossem os bons.

Ele abria a boca ameaçando falar; depois se arrependia. Em segundos voltava a tentar, mas era um garoto e quem deveria ser a adulta e iniciar a conversa no caso seria eu. Na verdade aquilo não funcionava. Para ambas as partes.

– Você é um anjo ou coisa assim? – finalmente perguntou, me encarando com aqueles típicos olhos azuis britânicos.

– "Anjo"? Por que acha isso?

– Você se parece com eles – disse ele, como se houvesse lógica.

– Ouvi dizer que anjos têm asas... – comentei.

– Não, eles escondem. – E então mudou a expressão, como um aluno aplicado lembrando a resposta da prova oral. – Você também esconde suas asas?

Ouch. Ninguém, durante toda a minha vida, havia indagado se eu não pertencia a esse mundo. Bom, ao menos não sem ironia. Que raios de garoto curioso!

– Algumas crianças são consideradas anjos. Talvez o anjo seja você e esteja tentando me enganar para que não o reconheça...

Ele ficou vermelho feito um pimentão.

– Minha mãe sempre diz que eu sou é uma peste...

Nós dois rimos. Uma gostosa risada inocente, do tipo que se ouvia nos filmes em preto e branco, daquelas dadas por amigos de infância ao comentarem sobre tempos gloriosos. Porém, notava que ele ficava inquieto, movendo as pernas para a frente e para trás, apertando com força a prancheta contra o corpo frágil. O rosto mantinha o tom rosado de vergonha. Então ouvi a declaração que me pegou desprevenida:

– Acho que estou apaixonado... – admitiu o garotinho, abaixando a cabeça.

Agora essa! Ele disse o que eu pressentia, mas ainda não conseguia entender. O que o fazia ser tão diferente? Que coisa estranha. Só que havia algo ali. Diferente. Inexplicável. Mas algo. O menino demonstrar que estava apaixonado por mim não era o meu maior problema, descobrir o porquê de nosso encontro sim.

– Eu não sou velha demais para você se apaixonar por mim? – perguntei, em um tom de professora primária.

– Eu não disse que era por você...

Ouch. A minha sorte era que eu tinha certeza de que ele estava mentindo. Toda sinceridade inesperada acaba doendo em algum lugar do coração.

– Sou Mel – disse, respondendo ao que ele estava doido para perguntar, mas com receio de fazer.

– Mel? Que nome pequeno... – disparou, olhando para baixo com as sobrancelhas franzidas, como se aquela informação fosse essencial ao destino do mundo.

– Se preferir, você pode me chamar de Melanie Aine das Fadas.

Ele pareceu travar. Os olhos agora se encontravam arregalados, sem dúvida parecia curioso com a forma com que me encarava. Eu não o condenei. No lugar dele, provavelmente teria a mesma reação se alguém me dissesse que se chamava assim.

– "Das Fadas"... – resmungou para si próprio.

– Acredita em fadas? – questionei, levantando o assunto antes que ele me achasse muito esquisita, e eu já perdesse um amigo que ainda nem tinha.

– Não sei se existem... – ele respondeu, mastigando as sílabas. – Nunca vi uma, mas creio que devem existir. São como os anjos. Acredito neles; acho que até sinto a presença deles.

A teoria fazia sentido. Ainda assim, expressar isso não me parecia normal, mesmo para um garoto como ele.

– Você é uma fada? – perguntou mais descontraído.

– Por que não uma bruxa? – indaguei.

– Bruxas são feias. E você é linda.

Ouch. Mais uma vez ele me pegava.

– Nem todas as bruxas são feias – insisti.

– Mas todas as fadas são lindas.

– A Angelina Jolie é linda. Seria então uma fada? – perguntei com certo tom de brincadeira.

– Claro que não! Ela tem tatuagem... – exclamou, como se isso fosse um argumento inquestionável.

– Eu também tenho uma, quer ver?

O garoto balançou a cabeça positivamente, até animado. O que parecia ser engraçado, afinal tinha acabado de criticar tatuagens. Virei de costas, mostrando a fada com asas de inseto, postura esvoaçante e cabelos claros ao vento, pigmentada em um desenho com cores escuras na parte de trás da minha cintura. A *estranha* tatuagem.

– Uau! Você tinha razão... – ele exclamou, boquiaberto.

– Em qual parte?

– Angelina Jolie deve ser uma fada...

Eu ri. Mas que menininho esperto e engraçado! Poderia arranjar uma desculpa, aproveitando a deixa, para abandonar a situação por medo do garoto descobrir demais sobre mim. Só que sentia aperto no peito pela simples ideia de deixá-lo sozinho.

Nuvens cinzas vindas das regiões mais frias começavam a rolar através do céu ainda claro, tornando-se amareladas com o reflexo do sol. Ao vê-las passar, inclinei a cabeça para o lado, observando o rapazinho. Minhas pernas se moviam, mantendo o ritmo acelerado em um tique irritante, como acontecia sempre que eu ficava nervosa. Sentia vontade de roer as unhas, mas estavam tão curtas que nem adiantava tentar. Senti os pensamentos vagarem por reinos distantes. Ele também pensava, estava olhando em silêncio para o nada. Então o garoto me indagou, parecendo confuso:

– Não sou maluco por estar apaixonado?

É fácil um garoto se achar maluco. Quer saber? Até era. Ele brincava com palavras fortes. Um malabarista com mais bolinhas do que podia manusear. Em algum momento, contudo, as bolinhas iriam cair no chão. Isso não me parecia bom, mas não o julgava.

– Não! Amar é mágico. Completa nosso ser. Não se ache maluco. Não precisa abaixar a cabeça quando diz isso.

– Você já amou alguém na vida? – ele perguntou, mas não como um desafio, mais como uma súplica para ser compreendido.

– Bem... não...

Ouch! Olhei para meus pés, envergonhada. Caramba! Uma criança conseguia me deixar assim.

– Que saco, né? – ele completou, suspirando.

Aproveitando nossa conversa sobre o amor, decidi falar mais do que achava.

– A palavra amor é muito forte. Sou mais velha que você, mas não quer dizer que entenda mais sobre esse confuso sentimento.

– Não! – disse ele sem hesitar. – Ouvi um anjo dizer que você é importante.

– Hein? Quando você ouviu isso?

– Quando estava desenhando – disse ele.

– E como era a voz dele?

– Era baixinha. Tipo a voz do cara que senta atrás de mim em toda prova lá da escola...

Eu ri novamente, imaginando o menino burro pedindo respostas. Eu o achava muito estranho. Era mais inteligente que a maioria dos garotos de sua idade por aí. Até mais que muitos adultos, e eu conhecia muitos adultos lentos. Os comentários, inusitados, disparados como flechas, sem aviso, mostravam uma inteligência superior. Rapazinho admiravelmente especial. Só que perigoso.

– Gosta de presentes? – indagou o garoto, me tirando das divagações.

– Quem não gosta? – perguntei.

Foi a vez dele rir. Depois comentou:

– Uma vida sem presentes deve ser uma vida triste.

– Você é muito esperto – disse.

– Eu sei! Os professores me chamam de “superdotado” – disse com o peito estufado. – Estudo em uma escola para crianças... bem... assim como eu...

A última frase dava a entender que ele temia o fato de ser diferente. Não o julgava. Com quase 19 anos me sentia da mesma forma.

Com as mãos, o menino chamou minha atenção, queria voltar ao assunto dos presentes. Quando mostrei interesse em saber o que ele havia preparado, presenteou-me com um lindo desenho feito com carbono, para assim os dois terem uma cópia. Minha única reação foi pensar: *Magnífico!* Difícil imaginar que o frágil menino era um excelente artista. Passaria horas apreciando os detalhes das curvas perfeitas do desenho como cobras à deslizar por areias do deserto. A delicadeza dos detalhes, misturada à precisão em cada reta, mostrava a alma do lugar. Porque mesmo uma fonte possui uma história, e ele retratava com carinho toda aquela bagagem de informações.

Aproximei o rosto até o papel branco. O cheiro familiar de biblioteca entrou nos meus pulmões fulminando; uma devastadora alegria me dava um frio na espinha. Era o odor que até o famoso estilista Karl Lagerfeld tentava reproduzir em perfumes, para mostrar a paixão de todos os seres pelo papel. Eu havia sido desenhada aos mínimos detalhes. Meus longos cabelos loiros ao vento, jogados para todos os lados, mas mesmo assim formosos como os de uma princesa. Como os de uma tatuagem.

Na imagem, ele me retratou sentada na beira da fonte da Trafalgar Square em uma bela posição, que lembrava uma modelo estrangeira na capa de uma revista de moda. Os olhos focalizavam o horizonte como se esperando um príncipe. O corpo rodeado de luz. Agora entendia o comentário sobre anjos. Só me faltavam asas para parecer quadros antigos da National Gallery.

Deduzi que o nome no cantinho do retrato era do menino.

– Obrigada, Patrick Windsor!

Que estranho. Estava aprendendo muito com aquele jovem. Não havia dúvida, sentia-me na presença de alguém especial. Talvez o futuro dissesse o porquê. O menino consultou o pequeno relógio de pulso com uma expressão preocupada, como se houvesse perdido a hora. Em seguida afirmou ter um compromisso, pegando a mochila e a prancheta.

– Obrigado pela ótima manhã, Princesa das Fadas!

E saiu correndo, pulando feliz como a criança que ainda era, enquanto fiquei para trás abismada.

Princesa das Fadas.

Talvez fosse melhor começar a me acostumar.

Definitivamente, é difícil esquecer coisas assim.

2

Passava da uma da tarde. Como o tempo voava. Precisava almoçar, pois a fome era violenta. Conseguia ouvir meu estômago implorar por comida parecendo uma criança recém-nascida. Nada melhor para isso que as refeições feitas por Olinda Mancini, a robusta italiana dona de um pub inglês.

Atravessei a movimentada rua lateral da National Gallery, voltando ao pub, onde comprei o chá pela manhã. Olinda havia obtido prestígio com o estabelecimento, após vir para Inglaterra tentar a vida com o marido Vincento, um senhor carismático que lembrava aqueles apresentadores de canal de compras, que com sorrisos maquiavélicos conseguia fazer até mesmo um sovina com cartão estourado encomendar alguma coisa. Descontraído, ele sempre me fazia companhia contando histórias constrangedoras do seu país. Sabia que as inventava somente para me fazer rir ou adequar a algum problema meu. Acostumei a ter sua presença e a ouvir seus ensinamentos. Gostava dele, e o italiano sempre me cumprimentava animado como um líder de torcida.

– Hoje é um dia especial! – exclamou, ao me ver entrar no local.

Olinda preparava uma mesa na entrada. Ela sabia que eu sempre preferia comer observando a praça. No ar havia o aroma de suflê de morangos com mel e, se você já provou uma coisa desse tipo, sabe que um sorriso costuma ser pouco para pagar algo assim.

– Nossa freguesa predileta chegou atrasada hoje. Há algo errado, querida? – indagou Olinda Mancini.

– Nada de errado! – respondi. – Só estive na praça conversando.

Observei Vincento no balcão. O italiano, ao me ver, seguiu em minha direção. Puxei uma cadeira para ele se sentar ao meu lado. Queria ouvir sua voz confortante naquele dia inusitado.

– É feriado ou aniversário de alguém para ser especial? – indaguei o carismático senhor.

– Não, querida! – disse ele, ainda animado. – Sinto apenas ser especial.

– É... Hoje o dia está diferente! – concordei.

– Especial! – disse o homem, gargalhando. O tipo de gargalhada ouvida em bar de *stand up comedy*. Aquela risada gostosa, que mesmo quem não entende a piada sente vontade de rir.

Repeti a frase com entusiasmo, torcendo para que ele ficasse feliz. Ele ficou por um tempo, mas logo uma expressão tomou conta de sua face.

– Sabe, menina, nós queremos lhe dar um conselho. Seus olhos têm pedido ajuda. Andam tristes esses dias. Estamos com o coração na mão, sem saber o que fazer por você. Se lhe pedisse um favor, faria? – perguntou, após ver uma quantidade do espaguete trazido por Olinda desaparecer do meu prato.

– Conselho? Claro, mas creio que não preciso...

O italiano me encarou, permanecendo calado. Nada que eu dissesse iria mudar a opinião dele. Como sempre, eu iria fazer qualquer coisa que me pedisse, porém jurava não estar triste.

– Tudo bem. Só para garantir, vá à floresta.

Senti-me chocada com o pedido repentino, como uma carta avisando a morte de um ente querido. Aquilo me fazia lembrar minha mãe. Somente ela e o casal sabiam sobre meu segredo. Mas ela cumpriu sua tarefa na Terra, depois foi embora do plano físico. Eles sabiam que logo eu seguiria o mesmo destino, então eram os únicos a me guiar, ajudando na longa jornada cheia de pedras. Contudo eu não me sentia digna de voltar ao local que me acolheu durante toda minha infância. Na última vez, ao pisar meus pés na floresta, havia dito coisas horríveis a entidades a que devia respeito. Do tipo que nunca repetiria na frente de minha mãe, muito menos de meu falecido pai. A floresta havia me decepcionado. Aquele assunto me trazia inquietação, e não conseguia mais ficar parada refletindo.

Vincento respirou fundo, explicando que não era tão diferente, mas também tinha qualidades e defeitos. Era um homem de intuição e achava que eu deveria retornar à região. Por que ele continuava a insistir nisso? Não sabia se aquilo seria certo ou não. O sentimento de dúvida me consumia.

Percebi ter terminado a refeição sem nem ao menos saboreá-la. Concordei em ir até o lugar. Sabia a dificuldade que seria convencê-lo do contrário. Ele pediu para eu voltar à noite para contar o resultado. Concordei, saindo do estabelecimento. Iria voltar ao meu passado turbulento. Encararia a floresta sombria da minha alma.

Após o almoço, decidi voltar para casa. Ultimamente quase não frequentava o casarão. Para que me servia aquela casa enorme se não havia ninguém para morar comigo ou me visitar? Ao entrar, o cheiro ácido de algo apodrecido na cozinha me lembrou do quanto estava desleixada desde que minha mãe havia me abandonado. Aquilo me fazia não aguentar ficar por muito tempo lá. Meu humor não ajudava na limpeza. Estressada, peguei meus instrumentos mágicos e dirigi-me à floresta.

Era preciso achar uma solução para tantos problemas. No geral meu foco era exigido apenas em uma questão. Eu possuía uma importante missão na Terra, diziam. Uma tarefa que iria guiar meu destino. Talvez o destino de toda uma dimensão. Só existiam dois problemas que eu precisava descobrir:

a) qual seria essa missão; e

b) se eu teria paciência para realizá-la.

Aquilo me irritava. Quem tem uma missão sem saber o que é? Sendo só comunicada sobre isso no dia da morte do seu pai.

Como eu tinha aceitado embarcar nessa busca maluca e sem sentido? Talvez Vincento tivesse razão. Na floresta poderia achar a resposta para tudo. Mas me sentia tão infeliz de ter que voltar lá. Surgia um sentimento ruim, como uma sombra negra no peito. Costumava chamar aquela floresta de lar, mas ela não me pertencia mais. Não desde a descoberta de quem realmente sou. Comecei a ignorar ainda mais o lugar, pois foi lá que encontrei o portal da minha suposta dimensão. Naquela maldita clareira.

Em minha última visita, prometi abandoná-la. A raiva que tinha dentro de mim era impossível de ser contida. Minha mãe havia partido, desaparecendo por aquele portal escondido entre as árvores dançantes, que lembravam bailarinas. Aquele dia ainda doía dentro de mim.

Antes de entrar, pedi permissão aos espíritos protetores. Agradeci aos bons guias por entrar no local sagrado. Andei por alguns instantes, chegando a uma clareira usada em rituais celtas. Acendi uma pequena fogueira feita de galhos retorcidos achados no caminho, colocando o caldeirão para ferver. Havia conseguido água no riacho calmo próximo dali. Peguei cinco pedras de quartzo rosa na minha cesta e coloquei-as em volta do fogaréu. Elas simbolizavam as pontas do pentagrama, símbolo adotado para dar força aos momentos mágicos. Após minha preparação, dei uma volta pela região à procura de ervas. Voltei, sentando-me à frente do caldeirão.

Não escutava barulho. Só havia silêncio na mata. Pensava em como era estranho uma floresta não fazer barulho. Não ouvia nada além de meus pensamentos, o que era ruim, pois minha cabeça andava cheia de problemas. Nunca se calava, parecia uma matraca. Para começar meu encantamento, disse em voz alta:

– Senhores do céu. Estou perdida, sem rumo, e por isso os procuro. Minhas forças se esgotaram, e preciso de vocês para enfrentar essa batalha. Preciso de ajuda. Deem-me força.

Acrescentei no caldeirão uma mistura de ingredientes maior que a de uma receita de bolo. Senti o aroma gostoso, como o cheiro de velas aromáticas, compradas em lojas chiques de shoppings luxuosos.

– Peço que me guiem! Suplico-lhes!

O fogo queimava. Meus pensamentos vagavam. Filosofando sobre minha existência, comecei a recitar o encantamento do meu povo:

> Ave, Rainha das Fadas! Tu colocas frescor nas manhãs, sedução nas tardes, mistérios nas noites e doçura nas madrugadas. Derrame seu encantamento sobre mim, assim posso seduzir, alegrar e apaixonar as pessoas.
>
> Ó, Fada Rainha! Ouve minha prece.
>
> Rainha da alvorada, musa dos namorados, poetas, magos, cantores, escritores. Encha minha alma de sonhos, música, poesia e cubra meu corpo de encantos, carícias e flores. Dai-me todas as delícias e receberás todos os amores!
>
> Senhora das primaveras, mais lindas quimeras, de todas as eras! Dai-me todos os alimentos e encantamentos de Afrodite. Seus licores, perfumes e sabores. Que eu seja suave, ardente, mágica e atraente. Lua ensolarada, enluarada. Deusa concreta, completa! Para que assim eu seja uma fada perfeita.
>
> Ama-me sempre e para sempre será amada.
>
> Ave! Ave! Ave Rainha das Flores, amores, alvoradas... Ave, Rainha das Fadas!
>
> Obrigada. Ave, Rainha das Fadas!

Animais da mata se aproximaram cautelosamente. Atitude fora do comum, já que por serem selvagens deveriam me atacar. Senti-me protegida; talvez aquilo fosse um bom sinal. Bons espíritos estavam comigo, intercedendo à grande mãe. Todo ritual feito por uma mulher, a Deusa acompanhava. Todo ritual feito por uma fada, todos os bons espíritos acompanhavam.

Acendi um incenso e também uma vela. Entrei em transe sendo induzida pelo vapor do caldeirão. As chamas do fogo faziam o líquido borbulhar, deixando-me aquecida com o calor. Imagens apareceram ao fechar dos olhos e perguntava-me o que elas significavam. Surgiram como fantasmas deslizando suavemente pela minha mente. Em um flash algo tornou-se nítido: olhos expressivos, masculinos, focados em minha direção. Diferentes. Assustadores, talvez. Porém, lindos.

Logo a imagem desapareceu.

Com aquele ritual, senti um vazio. Havia quebrado minha promessa de não voltar mais à floresta, depois dos acontecimentos de meu aniversário. No final daquele encantamento não havia conseguido quase nada. Eu esperava encontrar uma solução ou algo que pudesse me ajudar nessa minha missão secreta, não apenas um mísero olhar. De quem seria aquele olhar? Eu só sabia de uma coisa: nunca tinha visto o dono dos belos olhos. E também sabia que eles significavam algo. Senti-me estranha. Notei que, por sempre me sentir diferente e por agora ter algo me perturbando, estagnei. Perdi a sensação gostosa de viver aproveitando cada minuto. Como se fosse o último.

Se pudesse suplicar por um desejo, pediria por essa sensação pelo menos por mais alguns segundos. Apenas isso. Quando tememos nosso destino, ficamos preocupados. Ao saber que algo ruim pode interferir em nossa jornada, tendemos a aproveitá-la com mais vigor. Havia decidido. Mesmo decepcionada com a falta de informações, precisava descobrir de que se tratava essa missão. Não sabia mais se eu ainda dispunha de livre-arbítrio nem se estaria fazendo a coisa certa, mas achava um pouco de solução naquela decisão. Aquele exercício acabou mostrando-me que na verdade existia alguém para me ajudar.

O dono daquele olhar cativante.

3

Saí da floresta sentindo-me perdida por não ter as respostas que procurava. Por volta das oito horas da noite, caminhei até o pub para conversar com Vincento. Precisava explicar a real situação, demostrando a ele que não adiantava buscar a floresta. Tinha que buscar alguém. Uma pessoa para me ajudar a achar a verdade.

Ao contrário da brisa gelada do dia, a noite quente me fazia transpirar. O local estava lotado como nos dias de jogos decisivos do Chelsea, time famoso da Inglaterra. Avistei Vincento conversando com alguns clientes estrangeiros. Parecia estar tendo dificuldades para se entender com eles. Olinda estava atarefada no balcão, então não quis interromper e por isso resolvi esperar.

Logo uma mesa na calçada esvaziou e me sentei. Pensava no caminho escolhido por minha mãe. Ela havia cumprido sua meta ao me contar sobre meu destino. Previ, na época, que poderia ficar sem ela no futuro. Mas não conseguia entender como uma mãe conseguia deixar uma filha sozinha, depois de jogar uma bomba como aquela. Sempre fui solitária. Nunca amei. Tinha poucos amigos, quase nenhum familiar e com a pessoa mais próxima, minha mãe, eu estava zangada pelo seu desapego. Por estar sozinha, precisava lutar pelos meus objetivos. Tentar achar algum sentido em toda essa história de destino e missão. Este homem, dono do olhar misterioso, poderia me oferecer a ajuda necessária.

Hoje havia me lembrado várias vezes da minha mãe. Percebi que a maioria das lembranças vinha acompanhada pelo rancor.

Mas a amava. Isso nunca mudaria. Sentia-me abandonada, porém não negava o amor.

Enquanto permanecia sentada naquela mesa, esperando as poucas pessoas que gostavam de mim terem tempo para conversar, percebi que até os bons espíritos estavam distantes. Esperava que eles atendessem as minhas preces, afinal qualquer coisa pedida com fé, eles supostamente ajudavam a realizar. Mas no meu caso, pareciam não querer mais fazer isso. Hoje havia sido uma prova clara de que até eles me abandonaram.

Não podia ser também uma completa ingrata. Verdade que haviam me auxiliado, pois me ajudaram a obter a visão. Mas que droga! As únicas pessoas responsáveis por nos dar esperança esquecem de as dar completas. Diziam que esses espíritos escreviam certo por linhas tortas. Se fosse assim, minha história de vida deveria ter sido escrita em linhas tortas, curvadas, parecendo dirigirem-se a lugar nenhum.

Mais de uma lágrima foi derramada. Elas haviam se tornado uma característica quase permanente em meu rosto nos últimos tempos. Eu chorava em silêncio. Isso demonstrava a imensa dor contida naquele pingo d'água. Cada gota cristalina, em vez de aliviar a dor no peito, machucava a alma como um espinho. Eu respirava com dificuldade. Sentia-me sufocada com tanta dor.

Ao me ver, Olinda veio ao meu encontro. A princípio não viu que eu chorava, pois eu estava sentada em uma mesa de costas para o balcão.

– Querida! Vincento está preocupado contigo! – disse a mulher antes de perceber minhas lágrimas. – Agora entendo. O que aconteceu? Por que está triste?

Contendo as lágrimas que rolavam pela minha face, levantei o queixo. Olhei para o céu e inspirei profundamente, ouvindo o eco distante das conversas animadas entre as pessoas do bar.

– Choro por amor. Este nunca é motivo de tristeza, mas sei que é ruim chorar – disse tentando disfarçar o rosto vermelho dos clientes curiosos que bisbilhotavam.

– Está apaixonada? – Olinda perguntou.

Dei um leve sorriso. Quem diria. Eu nunca havia experimentado estar apaixonada.

– Não! Há várias formas de o amor se enquadrar no mundo. Choro porque tenho medo de perder o que amo. O que dá no mesmo de ter medo de amar.

– Palavras fortes, querida, mas chorar por tristeza nunca é bom. Acredito ser a pior atitude do universo.

– Pior atitude? Isso não seria pesado demais? Um choro pode até passar despercebido.

– Chorar é ruim a esse ponto – disse Olinda. – Lágrimas significam mil palavras não ditas. Mil amores não amados. Mil vidas não vividas. Muita confusão pode brotar de uma lágrima.

Observamos o casal em nossa frente, sem trocar palavras, apenas analisando a felicidade estampada nos dois.

– Lágrimas significam também preocupação, provavelmente envolvendo alguém amado – filosofei. – Nunca chorou por Vincento?

– Sim, já chorei. Porém, arrependo-me. Usar essa força é ruim. Preferia alimentar meu amor, como aquele casal – Olinda apontou para os apaixonados de uma forma discreta. – Se a mulher desistisse do amor, provavelmente estaria chorando. Não concorda que é melhor seu sorriso do que lágrimas?

Consenti. Depois do exemplo seria difícil não se arrepender. Uma cliente aproximou-se do balcão, então Olinda se levantou e foi atendê-la, deixando-me sozinha.

Comecei a acariciar as pétalas de uma flor que fazia parte da decoração da mesa em que estava. Uma bela rosa vermelha, lembrando-me rubis. A flor se destacava em meus dedos claros.

Pensava: Haveria mesmo mal em chorar? Seria ruim duvidar da minha espiritualidade? Talvez ficar sozinha não fosse tão agonizante. Será que nunca iria conseguir enfrentar meus medos?

Uma menina esbarrou em minha cadeira, olhando-me envergonhada. Peguei a flor do vasinho de centro e dei para ela. Não pude evitar o sorriso. Não precisava chorar, mesmo não achando aquilo ruim. Ficar sozinha não devia ser tão ruim, precisava apenas me acostumar. Somente o tempo iria esclarecer minhas dúvidas.

Vincento acenou do bar, indicando que viria logo conversar comigo. Não sentia fome, então resolvi visitar a praça. Iluminada somente pelos postes, Trafalgar brilhava como poeira intergaláctica. A lua cheia posicionada no céu dava charme à imensidão negra. Ela estava linda, como toda mulher ao ser iluminada por seus raios. Fui até Vincento avisá-lo de que iria à praça, para ele não achar que eu havia desaparecido.

– Obrigado, menina! Hoje está uma loucura – disse o italiano apontando para o casal japonês. – Eles não falam inglês.

Peguei minha bolsa da cadeira e saí do pub. Dirigi-me à faixa de pedestres. Enquanto esperava o sinal abrir, refletia sobre a conversa com Olinda. Ainda mais sobre homens que teorizavam a respeito de as mulheres serem diferentes uma das outras, para logo afirmarem serem todas iguais. Fascinava-me como os deuses possuíam carinho pelo feminino, independente da espécie. Eles criaram o feminino para cuidar do amor, da cria, do ninho. Nas palavras da minha mãe, sem as mulheres, os homens não seriam nada. Engraçado aquilo, nisso eu concordava com ela.

Eu podia não ser o que se chamava de normal, mas não deixava de ser semelhante a muitas mulheres. Provavelmente o dono do olhar me diria por que eu parecia ser tão semelhante.

Quando o sinal ficou verde, reparei na rua e algo me chamou atenção. Do outro lado da praça, um jovem da minha idade, ou talvez mais velho, corria como louco, desesperado, como se estivesse agoniado, com olhos esbugalhados e testa franzida numa expressão de desespero. Assustei-me, mas queria ajudá-lo. Percebi que vinha em minha direção. Considerei se seria seguro socorrer um estranho, levando em conta a violência da cidade. Mas não me decidia. Quando ele chegou perto de mim o observei.

Tinha o físico magro, com músculos definidos, que não pareciam ter sido trabalhados em uma academia. Olhos esverdeados, que me lembravam grama recém-cortada. Cabelos claros espetados, como se tivessem passado por forte vendaval. Dentes extremamente brancos. O tom rosado nas bochechas que só os britânicos conseguiam ter. Antes de finalizar meu pensamento o momento aconteceu.

O instante mágico ocorreu.

Mal pude aproveitá-lo.

O jovem que corria em minha direção me encarou durante alguns segundos, que duraram uma eternidade. Senti a terra girar. Fiquei presa em meu último fôlego. Eu o conhecia! Aquele parecia ser o homem que vi na floresta. Observei os expressivos olhos, confirmando minha teoria. Só podia ser ele. Os olhos eram lindos. Entretanto, tristes. Desamparados. Uma mistura de ternura com aflição. Senti-me envolvida. Talvez encantada. Poderia tentar sair do transe, mas a sensação de preenchimento me parecia ser boa como abraço de mãe. Nada importava. Somente aquele homem.

Infelizmente, ele desviou o olhar, correndo para o outro lado da rua. Pasma, fiquei estática, relembrando os mil momentos vividos naquele eterno momento. O rapaz desapareceu. Mas meu destino havia sido alterado. Deveria correr atrás dele ou ele ainda voltaria a me achar?

Com isso, a raiva tomou conta de meu corpo. Eu parecia um vulcão, até então inativo, prestes a entrar em erupção. Lembrei-me dos diversos sinais que os bons espíritos haviam dado: o menino da praça, Vincento com seu dia especial, a floresta, o olhar, agora isso. Mas pensava também que eles não fizeram nada para me ajudar. Eles nunca ajudavam! Fizeram-me perder alguém importante.

Tinha raiva da minha gente. Voltei a chorar. Parti sem rumo. Resolvi me isolar. O mundo podia explodir naquele instante.

Não ligaria.

Chegava a odiá-lo.

24 DE OUTUBRO

4

Compreensão! A palavra do dia. Senti a decepção percorrendo o corpo. Uma estranha chama consumia meu espírito. Aquilo levava uma grande tristeza ao coração, que, agora, quase nem batia. Era um tum tum fraco. Quase morto. O mesmo que sentia ao lembrar de minha mãe. Do fato de ela não ligar mais para mim. Então permaneci a manhã inteira tentando compreender o que havia acontecido. Não vi ninguém. Vincento foi o único a falar comigo por telefone. Ele ficou bravo, muito aflito, com o sumiço de ontem. Procurou-me por toda a parte, pois eu havia prometido voltar. Não o culpava. Que besteira fiz em não voltar e nem ligar. Agora estava envergonhada. Senti-me a pior amiga possível. Tinha motivos para isso, não é?

Resolvi dedicar o resto do dia ao meu objetivo. Sentia estar no caminho certo. Pelo menos havia conseguido aquela droga de olhar e, logo em seguida, confirmei que o dono dele existia. Mantive-me viva por causa do misterioso rapaz. Aliás, nós, mulheres, estamos acostumadas com isso. Sempre nos mantemos inteiras, pois temos alguma coisa na cabeça, seja trabalho, amor ou filhos. Idiotice, eu sei. Mas sempre dependemos de algo para sermos felizes em nossas vidas. Nunca temos o bastante. Eu dependia da minha suposta missão. Precisava apenas definir um foco.

Aí se você pensa... Fadas existem?

Esse parecia ser um grande dilema! Se achasse que sim, se transformava em algo maior. No geral, as fadas eram consideradas seres imaginários, muitas vezes retratadas como uma visão de perfeição. Sendo assim, se de fato existissem, seriam criaturas maravilhosas. Certo? Mas na verdade essa era uma visão errada.

Fadas, humanos, bruxas, enfim, todas as criaturas são seres "imaginários" uns para os outros. Ao pensar nisso, as fadas achariam os humanos seres perfeitos, e sabemos que isso não é verdade. Portanto, as fadas não eram assim tão perfeitinhas.

Pelo menos eu não era.

Afinal, perfeição não existia no mundo. Ou existia? Não... Nada nunca seria perfeito. Então eu tentava apenas me sentir viva para encontrar aquele misterioso rapaz.

Cada dia a floresta e o céu pareciam mudar, tomavam outras cores, ares, tornando-se cada vez mais deslumbrantes. O sol nascente mudava a cor do céu, do rosado no amanhecer para o cinza, típico de Londres. Peguei todos os livros, materiais, ingredientes, enfim, tudo o que era necessário. Consegui carregá-los até a floresta. Mesmo abismada com o peso. Sairia de lá só após localizar o homem misterioso. Não aguentaria ficar parada, esperando que ele corresse em minha direção outra vez. Queria respostas.

Compreensão! Faria meu mal desaparecer. Iria com garra fazê-lo sumir da minha vida. Sentia o início de um novo ciclo. O meu destino incerto me aguardava para recomeçar uma nova jornada. Meu sexto sentido despertava para lutar pelo melhor. Precisava romper com meu tormento. A ruptura precisava ser profunda. Só assim conseguiria seguir em frente. Ao romper com o passado, surgimos para um futuro sem fantasmas.

Quem não quer uma vida tranquila? Não ao ponto de ser enfadonha, mas sossegada o bastante para se poder apreciar uma bela manhã. Talvez até abrir os braços com a chegada do sol.

Eu queria.

Como eu queria.

Entrei na floresta. Passei por árvores altas que me mantinham na sombra. Elas filtravam a luz do sol fraco e se destacavam como se fossem fogo, por conta do outono. Alcancei a clareira que visitei um dia antes. Identifiquei pelo resto de lenha da fogueira anterior. Também pelas cinzas ainda espalhadas no chão. Procurei novos galhos para reacender o fogo. Ao ver a fogueira em chamas, observei figuras se formarem como bonequinhos de sombra a brincar pelas labaredas. Por si próprio, o fogo sempre foi um elemento mágico. Ele encantava, mostrava força e, sobretudo, simbolizava poder. Transmitia isso. Sentia-me mais forte ao observá-lo.

Peguei uma folha de papel da cesta. Com uma caneta comecei a escrever todos os reveses da minha vida. Listei meus erros, também minhas inseguranças, pois esse sempre foi o melhor ritual para eliminar coisas ruins de nosso caminho. Tão simples que uma criança poderia realizar. Tão eficiente que as mais poderosas feiticeiras já praticaram. Aquelas dos contos de fada, que davam gargalhadas atrás de caldeirões. Se conseguisse retirar a energia negativa da minha vida, conseguiria localizar o rapaz.

Molhei o papel em essência de sândalo, jogando-o na fogueira. Daqui para frente só queria boas energias. Observava-o se decompor. Com ele, o meu mal. Restabelecia minha confiança, destruída ao longo dos anos pela solidão. Essa era uma grande parte dos meus problemas. Solidão. Estava cansada de viver só, de acordar numa cama vazia, embora a sensação continuasse a me surpreender. Administrei meu tempo em encantamentos, feitiços e localização por pêndulo, uma magia para encontrar fontes mágicas de energia. Nada funcionava. Prendiam minha magia. Tinha noção de quem fazia isso: elas!

O pensamento apenas passou pela minha mente, mas já avistei em seguida as duas entidades que não queria ter visto: Whitzy e Mithy.

Whitzy, um gato preto alado. Mithy, uma cadela caramelo, também alada. Eram mensageiros delas. Eles haviam aparecido para mim uma única vez. Aquela maldita vez. Isso significava que o portal das nossas dimensões se abria para meu encontro com as donzelas.

Restava apenas uma opção: segui-los até o mesmo.

A dimensão das fadas sempre foi grande, mesmo quando elas começaram a ser esquecidas pelos humanos, mas era bem menor do que o planeta Terra. Poderia se comparar com o tamanho da Europa. Mesmo assim eram muitos os que viviam por lá, e era difícil até imaginar aquele local. Já esteve em um lugar que fizesse seu coração parar? E que mesmo não respirando morrer fosse apenas uma questão distante?

Um local capaz de cegar por possuir um brilho muito intenso, que depois você percebe ser reflexo da áurea de seus habitantes. Onde o cheiro particular lembram viagens exóticas feitas de última hora, mas que no fundo não se percebesse se elas foram realizadas em um sonho ou na vida real. Um espaço no universo onde podemos encontrar árvores púrpuras com folhas exuberantes, montanhas rochosas acinzentadas lembrando estátuas medievais e riachos com tons de anil ou esmeralda impossíveis de serem transcritos. Se achar que um dia teve a chance de conhecer um pedaço de paraíso como esse, provavelmente está enganado. As mais belas paisagens não se comparam ao verdadeiro local sagrado, onde a beleza emana de cada pedaço de grama ou gota d'água respingada das cachoeiras mais altas. Não era à toa que os humanos os achassem fantásticos, pois nascer naquele espaço já parecia ser uma benção maior do que qualquer outra. Ali era possível forjar deuses, e nenhuma dimensão tinha a capacidade de possuir tamanha responsabilidade. Nem mesmo o local que tinha pensado seria capaz de competir.

Apenas o Outro Mundo possuía aquilo: o fator *especial.* O brilho eterno de um local destinado à grandeza.

Quando uma força maior começou a moldar nossa existência, acabou proporcionando um mundo para desenvolvermos. Divisões foram feitas, raças separadas e línguas estabelecidas, contudo, nossas mentes não foram limitadas de início e nesse tempo, quando o "era uma vez" ainda não existia, os mortais acreditavam em outras existências. Acreditavam neles. No povo celestial das fadas.

Assim como os humanos, os bons vizinhos também receberam seu espaço e precisaram se organizar, dividindo-se. Naquele momento da história, a dimensão das fadas foi traçada e autoridades, escolhidas para transformá-la em um ponto ainda mais perfeito. Em um berço mágico. Então foram três reinos estabelecidos: Fairyland, Anwnn e Avalon. O principal, Fairyland, era o único comandado por um rei e uma rainha. Aqueles seres representavam a grande força criadora no momento em que a responsabilidade batia à porta. A linhagem escolhida para representar a maior área seria seguida e respeitada por toda a comunidade mágica de seres feéricos. Eu sabia apenas que no final de minha jornada deveria ser responsável por governar essa área.

Reparei que aquela parte da dimensão sempre tinha um clima agradável, com dias ensolarados ou neve fininha. Por todos os lados era possível ver a imensidão verde dos gramados. No horizonte, as florestas encantadas. Casas de madeira foram construídas nas árvores centenárias. Sobre o solo existiam moradias com tijolinhos à vista. E havia lagos coloridos, assim como grandes jardins de flores cheirosas cultivadas pelas fadas que as habitavam. Sim! Existiam fadas que moravam em flores.

Ao conhecer Fairyland fiquei encantada com tamanha beleza. E agora não parecia ser diferente. Deparei-me com um dia ensolarado, observando raios de luz invadirem o local. Eles me tocavam a pele. Sentia-me aconchegada como em um ninho. Aproveitaria a oportunidade para admirar a dimensão. Não podia visitá-la, pois elas me proibiam de entrar na propriedade. Só tinha autorização quando os mensageiros apareciam para me buscar.

Senti um esquilo enroscar o rabo por entre minhas pernas, em busca de nozes. Fairyland possuía os mais diversos animais.

Eles não temiam as fadas. Destacavam-se as borboletas multicoloridas como arco-íris, que Whitzy adorava caçar. Já Mithy não ligava para insetos e dormia profundamente perto do lago calmo, onde costumava nadar. Porém, mesmo querendo admirar o local, não havia sido convocada para isso, afinal os animais haviam me chamado por algum motivo. Tinha que encontrar a rainha para ver o que acontecia com minha magia.

Fui até a parte mais majestosa da região. Para mim, um lugar impossível de não ser admirado. Andei com passos decididos até chegar ao castelo. A impressão era de que ele havia sido construído com pedaços de doces. Mas, às vezes, brilhava como pedras preciosas ou algo ainda mais precioso. Suas cores variavam entre branco, azul e rosa, igual aos castelos das princesas dos contos dos bardos.

Entrei pela porta principal. Adentrei o salão branco. O interior irradiava ainda mais brilho. Aquela beleza curiosamente me irritava naquele momento. No alto da longa escada principal, vi a rainha me observar. Ela tinha um olhar inocente, calmo, como se nada estivesse acontecendo. Que absurdo. Ela sabia da minha raiva e de toda tristeza contida em mim. Odiava as pessoas que se esqueciam do passado e simplesmente se faziam de santas. No fundo sabem que fizeram coisa errada e tentam ignorar. Pela atitude ao me olhar daquela maneira serena, percebi que se julgava perdoada sem ao menos termos tido uma discussão pelo que fizera no passado. Não. Ela não havia sido perdoada. Estava longe disso.

– Sabia que quando fica brava rugas aparecem entre seus olhos? – perguntou a rainha.

– Ah, é? – respondi.

– Não faz nada bem para sua pele.

– Engraçado. Excelente o modo de você reparar as coisas. No meu caso, sabe o que reparei? Que estão me impedindo de encontrar esse garoto misterioso. Fiquei maluca de vez?

– Você sempre foi maluca, querida. É como diz aquela frase: *We are all mad here.*

– Você pode me dizer alguma coisa sobre esse rapaz ou sobre meus poderes? – retruquei.

Não obtive resposta. Ela desceu a longa escadaria. Arrastava o vestido perolado de seda pelo chão. Soltou um suspiro forte. Alto. Mostrava-se entediada. Cruzei meus braços, insatisfeita.

– Querida, querida! Vamos ao jardim? Lá conversaremos com tranquilidade. Hoje, um grupo de duendes veio nos visitar para uma pequena discussão financeira, e Nuby está cuidando disso. O castelo está um caos.

Tentei, mas não contive minha empolgação ao ouvir o nome Nuby. Havia me simpatizado com algumas habitantes, na única vez que visitei Fairyland.

– Como Nuby está? – perguntei.

– Está bom, apenas irritada com esses acontecimentos estranhos que as fadas vêm enfrentando. Quem mandou ela cuidar das finanças? É a única parte estressante do castelo. Às vezes elas me parecem humanas quando lidam com isso. Nós, seres humanos, costumamos analisar por horas nossas contas, e sinto isso ser muito burocrático. Não pensava que aqui também seria assim.

Então ela se lembrava. Sabia que para sempre seria humana.

Andamos até o jardim florido do castelo de Fairyland, onde chafarizes jorravam águas cristalinas, espirrando gotas pelo gramado. As esculturas enfeitavam a imensidão de cores das plantas. O cheiro das diversas flores me tranquilizava. Não conseguia distinguir qual aroma predominava. O jardim me recordava Trafalgar Square. Talvez esse fosse o motivo de eu gostar tanto de observar a fonte. Em seguida sentamos. Observei a bela mesa preparada em segundos por causa da minha chegada. Cayla e Rasmin vieram nos trazer chá de camomila com biscoitinhos de amora.

– Saudades, Melanie Aine. Não gostamos de você sozinha na dimensão dos mortais. Queremos você de volta – comentou Cayla, ao se aproximar.

– Também sinto saudades de muita coisa. Não tem sido fácil. E ainda tem gente tentando me impedir de concretizar meu destino! – disse ao lançar um olhar sério para Ciale, a rainha, mãe de todas.

Elas perceberam a mensagem direta e saíram para nos deixar a sós. Precisava indagar a rainha sobre minha magia. Não entendia por que estavam me privando dela. Não havia tempo para jogar conversa fora.

– É necessário ser grossa assim na frente de suas amigas? Não lhe dei educação? – recriminou Ciale.

Encarei a rainha com toda raiva contida em mim.

– Talvez não, mãe! Você é a minha mãe, não a delas. Em vez de viver aqui, governando Fairyland em paz, deveria estar lá ao meu lado – eu chegava a estremecer de tanta raiva que sentia. – Tenho sofrido, sabia? Muito simples me abandonar. O pior ainda é me privar de usar minha magia!

– Você anda muito temperamental, Melanie Aine! Não tenho culpa de nada disso. Sou tão vítima quanto você. Esse é o seu destino, e tem que enfrentá-lo sozinha. Infelizmente não posso lhe paparicar para sempre. Adoraria ter você, minha filha, por perto e guia-la por esse caminho que também não entendo, porém amei seu pai e por esse motivo tenho esse destino. Não é fácil para você, mas também não é para mim.

Ao dizer isso ela também bufou de raiva. As veias do pescoço delicado saltaram com o nervosismo.

– Eu nunca teria abandonado você! – eu disse ao me retirar da mesa.

Afastei-me do castelo deixando-a sozinha. Não tinha vontade de voltar para a Terra. Estava brava com toda a situação, mas não podia esquecer o fato de que me encontrava pela segunda vez na dimensão das fadas. Ou deveria dizer na *minha* dimensão.

Resolvi então visitar meu local favorito. Havia me escondido nele na última vez em que estive em Fairyland. Tive um pouco de dificuldade para chegar lá, por não ser familiarizada com a região. Atravessei a floresta por um túnel de pedras, cheguei a me perder por alguns minutos, mas por fim encontrei meu porto seguro naquele mundo diferente.

Uma enorme cachoeira caía em um riacho calmo, cheio de peixes coloridos e flores violetas flutuantes. Porém, por causa dos rochedos, formou-se em um ponto do riacho uma piscina natural com água morna, muito convidativa. Tirei meu vestido, resolvendo entrar na água para sentir a sensação boa de molhar o corpo. As energias negativas pareciam se esvair nele. Aquilo era gostoso. Fiquei um tempo apreciando a natureza, mesmo sabendo que precisava voltar para a dimensão dos mortais. Infelizmente tinha uma missão estúpida para desvendar, e elas não me autorizariam ficar mais tempo do que já estava. Além disso, eu sentia que não podia simplesmente esquecer este problema e fingir que não tinha obrigações. Porém, antes de sair daquele local sagrado, decidi fazer uma promessa: seria feliz. Mas estava ficando cansada da situação. No dia da morte de meu pai haviam me contado que eu tinha uma grande tarefa, uma capaz de mudar a dimensão das fadas, mas ninguém realmente sabia o que significava aquilo. Como sempre, não argumentei, e ainda chocada por tudo que estava acontecendo, aceitei tentar cumpri-la, mas no final não sabia o que fazer. Encontraria meu destino? Será que tinha algum controle sobre ele? Muitas perguntas me ocorriam, mas nem minha mãe me ajudava.

Não estava sendo fácil. O desejo de vê-la todos os dias sempre foi forte. A própria dimensão me atraía. Não tinha vontade de partir, mas precisava. Meu destino tinha que ser finalizado. Mas será que eu conseguiria voltar em breve para aquela cachoeira? Mais uma pergunta com um silêncio como resposta.

Sequei meu corpo ao sol. Parti para onde o portal das dimensões se localizava. Ao passar por ele, voltei à floresta, onde uma tempestade violenta caía. Ela varria tudo que via pela frente. Meus ombros arqueavam com as pancadas da chuva. A fogueira havia se apagado. Os materiais estavam encharcados. Tudo se encontrava espalhado pelo chão. Em questão de segundos fiquei molhada dos pés à cabeça, tremendo de frio.

A chuva era como uma cortina uniforme, os relâmpagos, uma arma arremessada em minha direção. Tentava recolher meus pertences, mas as gotas eram grossas e me machucavam. Aquilo me deixava atrapalhada, fazendo-me derrubar no chão tudo o que havia recolhido.

Ao conseguir colocar os objetos na cesta, tentei retomar a trilha que me levaria à estrada. Mas naquelas condições me perdi, afinal, noção de espaço nunca foi meu forte. Acabei seguindo uma direção muito diferente.

Fui levada para a outra ponta da floresta. Da mata ouvia uivos de lobos, também barulho de outros animais. O zum-zum-zum de ruídos me deixavam paranoica. Assustada, comecei a entrar em desespero. Resolvi correr.

Galhos arranhavam minha perna, pedras me faziam tropeçar. Agoniada, sangrava muito. Até que cheguei à margem da floresta. Existia apenas escuridão. Comecei a andar pela estrada tentando descobrir qual era o sentido para voltar para casa. O breu não ajudava. Minha desorientação também não. Na escuridão total que se seguiu, consegui ver uma sombra em minha direção. Abri a boca para gritar, mas então, através do cheiro da chuva, da terra molhada e do barulho dos raios, vi uma luz muito estranha.

A dor veio rápida, também forte, como um facho de luz que tivesse atingido minha têmpora. Minutos seguintes, na boca apavorada, senti somente o gosto doce de sangue.

Ah, o gosto da ferritina.

Depois disso, não me lembro de mais nada.

5

Sabe quando você dorme e sente o cérebro acordar, mas o corpo não? Percebe a atmosfera ao redor, mas não consegue levantar? Era o que eu sentia. Além disso, a dor foi registrada pelo corpo de uma forma meio ausente, como uma memória. Sentia ter participado de uma luta, sem ser uma das lutadoras. Apareci no ringue e levei um golpe feroz de alguma modalidade estranha.

Parei de me preocupar com o acontecido. Queria saber onde me encontrava. Parecia ser um local tranquilo, muito relaxante pelo espírito de paz. Havia um forte aroma de incenso. Reconheci ser de calêndula. Notei uma atmosfera avermelhada, com um toque semelhante ao oriental. Não me encontrava deitada em uma cama. Estava em um confortável tatame, confirmando minha teoria japonesa. Minha cabeça ficou apoiada em um travesseiro de pena de ganso, meu corpo coberto por uma grossa manta macia.

Acabei me lembrando de minhas roupas molhadas...

– Ah... Droga! – reclamei.

Notei não estar mais com elas. Na verdade, não tinha nada entre meu corpo e a coberta. Para piorar, uma parte dele doía com intensidade.

Reconheci qual... Gelei. Minhas asas.

E agora?

Uma pessoa aproximou-se de mim. Por um reflexo paralisei de medo. Ela se sentou ao meu lado. Antes que pudesse sair do lugar, ouvi uma voz de homem pedir para eu relaxar. Algo bem difícil. Não sabia onde eu estava nem quem falava comigo. Como ele queria que eu relaxasse? Virei o rosto. Levei um susto.

– Calma, sei sobre vocês – disse o dono da voz. – Sou da antiga tradição, só não acreditava nesta parte. Sabia que nas lendas vocês são descritas como menorzinhas?

A dor aumentava conforme a lucidez. Pelos deuses. Aquele ao meu lado era o jovem desesperado da Trafalgar Square. Fiquei a manhã inteira procurando-o, e agora ele se encontrava a meio metro de mim.

Senti-me tonta com a revelação. O mundo devia ser bem pequeno mesmo, como dizem. Com tantas pessoas no universo para me encontrar naquela floresta, era logo ele que aparecia. Ainda confirmou ser da antiga tradição. Será que não acreditava na minha raça como dizia? Iria descobrir mais.

Se eu falasse mais a meu respeito, talvez ele pudesse se abrir comigo. Então consegui pronunciar algumas palavras com a boca seca, ainda travada do choque:

– Pelo que eu sei, em nossa dimensão temos a estatura normal de um humano. Apenas ficamos menorzinhas quando viajamos para outras dimensões. Isso acontece para não sermos vistas. Mas a família real, por ter de representar as fadas entre os humanos, consegue permanecer com o tamanho natural na Terra.

O esforço de falar me provocou um ataque de tosse, e estremeci, dobrando-me pela cintura. Tentei esboçar um fraco sorriso, mas a dor não permitiu, então saiu uma expressão estranha. Ele pegou uma tigela que continha água morna misturada com mais algumas substâncias. Com uma esponja começou a limpar com cuidado os machucados pelo meu corpo.

– Então é da família real? – perguntou o rapaz.

– Sim. Sou Princesa das Fadas – respondi.

– Interessante. Bem, princesa... A batida não foi muito forte. Sobre isso mil desculpas. Ainda não acredito que te atropelei. Mas você parece ser mais frágil que um humano. Suas asas estão muito machucadas.

Minhas asas coloridas eram a parte mais sensível do meu corpo. Parecia com uma tela tecida com cuidado. Nervos passavam por entre os fios, como se fossem fibra ótica. Ela movia para frente e para trás. Ele permanecia concentrado limpando os machucados. Mesmo tendo me atropelado, eu não conseguia sentir raiva do rapaz.

– Obrigada! – disse.

– Está me agradecendo por te atropelar? – perguntou sorridente.

Com um sorriso meigo, mas ao mesmo tempo sexy, ele conseguia ter dentes brancos como os de modelos de comerciais de pasta de dente. Eu até então não achava possível.

– Obrigada por cuidar de mim.

Ele largou a tigela e voltou a me olhar. Aproveitei a deixa para me aproximar.

– Posso lhe fazer uma pergunta?

O rapaz aquiesceu. Comecei a ficar envergonhada. Mais envergonhada do que o menininho da Trafalgar Square.

– Onde estão minhas roupas? – questionei de supetão.

A situação embaraçosa quase me matou. Por sorte nós dois caímos na gargalhada.

– Desculpe – disse ele quando, por fim, conseguiu controlar a risada. – Seu vestido ficou muito molhado. Iria pegar pneumonia se continuasse com ele. Não posso levar você para o hospital com essas asas, os médicos iriam enfartar. Mas pode ficar tranquila, tirei o vestido de olhos fechados.

– Entendo. Muito obrigada – disse.

– Você me deu um baita susto – complementou ele. – Uma mulher loira, vestida de preto, no meio de uma tempestade é uma cena assustadora. Parecia um fantasma. Imagine quando fui lhe socorrer e dei de cara com seus membros posteriores curiosos.

– Estranho... Se fosse comigo, teria saído correndo. Deve ter sido horrível.

O rapaz ficou sério. Com uma voz firme disse:

– Impossível! A cena, mesmo assustadora, conseguia ter certa beleza. Você parecia um anjo caído. Inconsciente. Lembrava uma daquelas obras de arte.

Fiquei encabulada e ele percebeu, por isso voltou a falar.

– Mas me enganei. Aquela cena não era bonita.

A surpresa tomou conta do meu corpo, ao mesmo tempo fiquei desapontada. Havia sido tão bonita a suposta declaração. Não entendia por que ele poderia ter se enganado. Ele não me achava bonita? Fiquei pensativa, emburrada, não queria mais conversar. Ele notou, pois concluiu o pensamento:

– Você deitada, sorrindo para mim, é a cena mais linda que já vi...

Ufa! Ele me achava bonita. Mas por que eu me preocupava com isso? Começava a me envolver demais com aquele rapaz desconhecido.

Conversamos por algum tempo, mas ainda não havíamos nos apresentado. Possuía a impressão de que nos conhecíamos há anos. Talvez por isso não sentíssemos necessidade de nomes. O rapaz, contudo, resolveu se apresentar. Pegou minha mão de leve, deu um longo beijo e disse:

– Arthur Wales.

– Melanie Aine das Fadas. Mas pode ser Mel.

– Em outra situação acharia estranho, mas entendo de onde tirou o sobrenome criativo.

Arthur parecia um homem cuidadoso, engraçado, e sorridente em todos os momentos. Não parecia o rapaz angustiado da praça. A cada palavra ele me seduzia.

– Melhor irmos dormir – ele sugeriu. – Amanhã, teremos o dia inteiro para conversar.

Sentia fraqueza, estresse e dificuldade de raciocínio. Os últimos dias não haviam sido fáceis. Agora, com o acidente, me sentia esgotada. Mas não queria interromper a conversa. Antes de ele ir para seu quarto, pediu para me vestir. Em seguida pegou um pacote, explicando por quanto tempo fiquei apagada. Segundo ele, fora até uma loja de roupa feminina perto de sua casa conseguir um traje apropriado para mim. Ao abrir o pacote fiquei surpresa. Havia uma camisola linda de presente para mim. Longa, branca, de seda. Fiquei admirada com o bom gosto.

Sem graça, ele me disse sobre a dificuldade de eu me vestir sozinha. Perguntou se poderia me ajudar, deixando-me corada. Concordei, mas pedi para ele manter os olhos fechados.

Começou como uma situação constrangedora, mas aos poucos ficou diferente. Mais intimista. Por final, extremamente sedutora. Arthur fechou os olhos, tirou o cobertor, me dando um leve choque térmico. Ele percebeu meus pelos se arrepiarem. No canto da boca dele brotou um sorriso, do tipo sem inocência. Tentava me vestir a camisola. Notei que ele às vezes não conseguia controlar e espiava um pouco do meu corpo, mas voltava a fechar os olhos, com medo de eu perceber. O clima de sensualidade pairava no ar. Quando terminou, nós dois estávamos vermelhos. Para quebrar o gelo, fiz um pedido:

– Poderia ligar amanhã para meus amigos? Eles são quase como família. Devem estar preocupados!

Ele concordou. Pedi para avisar Olinda do acontecido. Também pedi que me trouxesse algumas roupas. Arthur aproximou-se de mim, me dando um longo beijo na testa.

– Durma bem, fadinha!

Antes de ele sair, sussurrei:

– Você também, príncipe misterioso.

25 DE OUTUBRO

6

Acordei com a visão distorcida, como se ainda estivesse muito cansada. Na minha frente brilhavam pontos de luz – uns mais nítidos, outros embaçados –, mas, para meu alívio, aos poucos tudo foi se endireitando. Precisava achar Arthur.

Meu estômago ensaiou, no entanto, uma pequena dança, não muito interessante. Respirei fundo para não estragar o tatame e o cheiro do ambiente com o que poderia acontecer. Na noite passada, Arthur havia diluído substâncias mágicas na água que limpava meus machucados, provavelmente para acelerar o processo de cura. Como consequência, hoje eles estavam quase curados. Pelo menos isso. A vermelhidão das feridas nos joelhos desapareceu, em algumas regiões conseguia sentir a pele endurecida virando casca. Só as asas ainda ardiam. O cheiro adocicado me fez olhar para o lado. Uma bandeja cheia de frutas, pães e sucos me esperava.

Não sabia se meu estômago clamava por comida, o que seria bom, ou se me pedia para não comer, o que não seria bom. O importante foi que, no meio daquela pilha de comida, havia uma rosa. Também um bilhete.

Apressei-me para ler:

Fadinha! Espero que esteja melhor!
Tive que trabalhar, porém logo voltarei para casa.
Divirta-se explorando minha moradia.
Minha mãe teve um ótimo gosto ao decorá-la.
Leia as placas dos ambientes. São engraçadas!

Mi casa, su casa!

Ass. Príncipe misterioso!

PS: Sua amiga Olinda trouxe a mala para você (bem caprichada). As roupas da sua amiga estranhamente cheiram a suflê de morangos com mel.

Naquele momento, ao ler o bilhete, não pude controlar os meus risinhos de garota se apaixonando. Imaginava-me como uma tola rindo sozinha espichada no tatame. Sobretudo, sentia-me importante por estar naquela casa tão especial. Arthur me parecia um homem encantador. Poucos minutos de conversa se passaram entre nós, mas a conexão foi instantânea. Parecia magia antiga. Eu queria descobrir minha missão, mas existia algo naquele homem que mudava as minhas mais íntimas prioridades. Não conseguia explicar. Queria apenas saber mais sobre ele. Desejava falar com ele. Imaginava cenas de nós dois juntos. Aliás, queria poder dizer que estávamos juntos.

Os pensamentos pareciam esquisitos, sabia disso, porém entendia o porquê de estar me envolvendo com aquele rapaz. De sorrir por um gesto dele ou pela forma que fiquei boba quando cuidou de mim na noite passada. Aquilo havia me surpreendido. Eu sentia que precisava de um homem atencioso como ele ao meu lado. Mas algo não saía da minha cabeça: será que ele sabia sobre meu destino? Estaria interessado em mim ou era apenas a estúpida missão começando? Esperava que não. Precisava de alguém, pois sentia-me solitária, e agora tinha achado uma pessoa perfeita. Ele não parecia se importar com o fato de eu ser uma fada, com asas e conflitos. Era perfeito.

Parei de ficar pensando em coisas que não me levariam a nada e levantei para conferir a mala. Quando me aproximei dela, entendi por que ele havia falado que estava caprichada. Olinda havia colocado quase toda minha casa dentro. Decidi tomar um banho, troquei a roupa e voltei para o quarto. Depois de limpa, segui a instrução dada no bilhete sobre explorar a casa, reparando na decoração do local. Aquela sala era uma mistura chinesa e japonesa, com bandeira dos dois países penduradas na parede vermelha. Por todos os lados havia luminárias e leques orientais, também uma porção de troféus. Milhares deles. Todos de ouro espalhados pelas vitrines. Para mim o mais interessante, entretanto, eram as armas: nunchakus, bastões, facões, punhais, arcos, adagas, shurikens, kunais; todas as armas brancas possíveis de se imaginar, além das mais diferentes espadas. Logo, uma em especial chamou minha atenção. Encontrava-se em uma vitrine exclusiva, entre duas bandeiras. Aquela era a espada mais bonita que já tinha visto. Cabo longo, metálico, com inscrições que não conseguia entender. A lâmina reluzente possuía ranhuras, mas parecia ainda afiada o suficiente para arrancar uma cabeça. Provavelmente conseguiria se tentasse. Sem dúvidas, quem a colocou lá possuía a intenção de dar destaque a ela.

A arma me lembrou Excalibur, espada sagrada de Avalon. Aquilo era uma grande coincidência, já que quem possuía a espada lendária chamava-se Arthur e sua irmã era uma fada. Chegava a ser sarcástico.

Vendo todas aquelas armas senti saudade de lutar. Desde os 8 anos de idade treinava ninjútsu e *kung fu*. Iria perguntar a Arthur quem era o dono da espada.

Naquela manhã saboreei a comida, quase terminando com a bandeja. Satisfeita, arrumei o tatame bagunçado, resolvendo conhecer todos os cômodos. Ao sair, vi uma placa próxima à porta. Deveria ser isso que Arthur comentava no bilhete, nela havia a descrição da SALA DE LUTAS – JAPÃO E CHINA.

Japão e China: dois países que nos surpreenderam com as culturas, artes de guerra e filosofias. A família Wales sente profunda gratidão pelo Japão, em especial pelo sensei Horonato, que nos ajudou na tentativa de combater a inquisição das bruxas japonesas.

"É sábio olhar para trás, pois é avaliando a tortuosidade de nossas pegadas que poderemos garantir um caminho reto para o futuro." Anônimo

Após ler a descrição, pensei: *hoje vai ser um dia interessante.* Aquela casa me parecia bem diferente.

Em frente à sala de lutas, outro cômodo também possuía uma descrição: SALA DE VISITAS – BRASIL.

Brasil: país de alegria e extremamente religioso. Sempre nos recebeu com carinho em nossas visitas. Assim, dedicamos esta sala a vocês. A família Wales tem uma ótima recordação do encontro celta realizado aos pés do Cristo.

"Felicidade está em saber aproveitar todos os momentos como se fossem os últimos. Ela consiste em preparar o futuro, pensando no presente e aprendendo com o passado." Anônimo

Dentro do cômodo a decoração me parecia distinta, colorida, viva, passando a impressão de estar entrando em uma floresta. Existiam vários tipos de árvores e flores cheirosas pelo espaço, mas elas eram diferentes e sentia isso. Só poderiam estar encantadas para não sujarem o local, afinal o chão estava lindo, mesmo sendo um gramado aparado. Contudo, se aquilo fosse uma floresta, seria a mais sofisticada que já tinha visto. Dois sofás extremamente macios localizavam-se na parte central. Na lateral existia um bar com os mais diversos tipos de bebidas alcoólicas. Deviam existir garrafas caras naquela coleção. A sala parecia ter o propósito de ser um local para conversa, sem aparelhos ou distrações, uma ideia inteligente. Uma boa conversa nunca era ruim. Nas paredes cobertas de trepadeiras, assim como na sala de lutas, havia símbolos wiccas e célticos, o que me deixava curiosa. Nunca ouvi falar dessa família, mas eles pareciam poderosos.

Segui pelo corredor, encontrando o banheiro de visitas, rotulado TRIÂNGULO DAS BERMUDAS. Dei risada com a pequena descrição:

Triângulo das Bermudas: Acredite! Esse lugar mágico existe. Só não se perca.

Na SALA DE TELEVISÃO – ESTADOS UNIDOS, a decoração se mostrava cheia de bandeiras de importantes universidades, lotada de eletrônicos, decorada com cores vibrantes. Muito azul e vermelho.

Estados Unidos: grande país! Lembramos com carinho o xamanismo de seu povo e o poder de seus filhos. Este é um país de coragem.

"A coragem é a mais alta das qualidades humanas, pois é a qualidade que garante as outras." Aristóteles

Todas as portas dos cômodos eram brancas no umbral e com miolo de vidro. Estranhei ao ver uma diferente do padrão, no fundo do corredor vazio. Ela era preta, cheia de símbolos, com uma maçaneta dourada e inscrições por todos os lados. Quis descobrir o que tinha por trás dela. Curiosa, tentei abri-la, mas permanecia trancada. Não havia uma fechadura normal. De dentro dela exalava magia pura, o que me intrigou ainda mais. Por que essa porta estava trancada? Será que alguém a protegia? Não aguentei. Tentei usar magia.

– *Aut viam inveniam aut faciam*! – pronunciei ao mentalizar a maçaneta.

Nada aconteceu. A magia deveria ser muito forte, afinal esse feitiço sempre foi simples.

– *Crede quod habes, et habes*! – disse com mais força.

Infelizmente, nada. Decidi analisar a porta mais uma vez. Algumas vezes, bruxos deixavam pistas, quase rastros, do que as pessoas precisam fazer para desvendar sua magia.

Existia uma sequência de três símbolos na parte superior da porta. Nunca fui especialista em símbolos, além do mais, cada raça possui um tipo de linguagem diferente. Decidi tentar mais um encantamento para descobrir.

– *Per aspera ad astra.*

– Deus e a Grande Mãe são o casal perfeito – refleti traduzindo os símbolos. – Legal, em nada me ajuda.

Analisei a maior parte dos outros símbolos como se fosse um detetive procurando por pistas. Eles estavam todos separados, dificultando meu trabalho. Muitos eram apenas pentagramas com as cinco pontas desenhadas nos mais diversos estilos. Mas não formavam frases. E eu precisava de frases.

Fiquei por longos minutos tentando achar algum sentido naquele mar de símbolos. Foi quando percebi algo diferente na parte inferior da porta. Havia uma carreira de desenhos minúsculos, quase ilegíveis. Alguns tinham partes desgastadas pelo tempo. Tentei ler, mas me pareciam muito difíceis. Tinha que renová-los para tentar desvendar o mistério.

– *Audaces fortuna iuvat. Crede quod habes, et habes.*

Os símbolos pareciam restaurados, não existindo mais partes desgastadas. Eram quase como símbolos feitos por crianças. Figuras bem simples, capazes de confundir uma pessoa que não entendesse sobre magia.

– Transformar e morrer torna-se através da Virgem a vida e o poder – falei em voz alta.

Nada parecia ajudar.

Ao notar dois símbolos em cima da maçaneta, percebi o erro que cometia.

Um era o pentagrama, símbolo mais importante da W.I.C.C.A., que representa tudo que é mais sagrado nela, mas o outro era Horus, o olho que tudo vê.

Senti um calafrio. Em seguida uma espécie de choque, em que tive uma visão: Arthur dizendo: "NÃO!"

7

Na hora do almoço procurei a cozinha. A descrição era COZINHA – ITÁLIA. Seria idiota precisar ler a placa para saber o porquê da referência ao país. Me lembrei da comida deliciosa de Olinda e da alegria de Vincento.

Entrei na sofisticada cozinha, procurando nos armários ingredientes variados. Depois de cozinhar e comer, voltei à excursão pela casa. Fiquei perplexa ao ver o SALÃO DE MÚSICA – GRÉCIA. Adorava música, uma grande paixão. Nunca aprendi a tocar um instrumento ou a cantar, mas possuía uma habilidade musical inata.

O salão de mármore possuía diversos quadros e estátuas gregas. Fiquei encantada com todas aquelas obras de arte. Havia algumas tão grandes que ocupavam um bom pedaço da parede. Imaginei o valor de todas essas peças juntas. Daria para sustentar uma família. Fechei os olhos, inspirando o ar. Ele vinha do gentil suspiro de uma corrente da janela. Era como se a corrente respirasse ampla e profundamente, puxando o ar para dentro dos cômodos quando inalava, empurrando toda energia de volta quando exalava. Respirava sentindo a frequência do pulso desacelerar da explosão de adrenalina ao ver o salão grego. À medida que o fazia, me acalmava. Lembrei-me de como costumava sentar nas areias das praias, imaginando o som das ondas nas Ilhas Gregas e da música em Atenas. Aquilo me tranquilizava.

O ambiente aguçava minha enorme vontade de conhecer a Grécia. Todos os instrumentos estavam dispostos em harmonia.

Desde os clássicos, como o piano de cauda, até a bateria mais completa. O que mais me agradou, entretanto, foi um violoncelo localizado no centro do ambiente. Como os outros instrumentos, sua cor era branca, com pequenos detalhes dourados, como se feitos de ouro. Talvez até pudesse ser. Queria tocá-lo, mas sentia dó. Avaliei sobre o que aconteceria se eu estragasse aquele instrumento. Observei que na parte traseira havia um pentagrama dourado cravado, que só de olhar já hipnotizava uma pessoa pela raridade.

Um clima mágico rolava no ar. Existia uma conexão com o violoncelo. Sentei-me no banquinho esbranquiçado, posicionando-me atrás do instrumento. Havia medo, mas não resistia à tentação de tocá-lo. Aos poucos, minhas mãos foram guiadas e se iniciou uma suave melodia, creio que nunca tocada ou cantada por alguém. Tudo daquela música ia sendo criado por e para mim. Algo para aquele momento mágico.

Fiquei tão sensível com a situação que lágrimas começaram a rolar. O som no salão ficava alto, tanto por causa do violoncelo, quanto pela minha voz cantando uma canção sobre magia, fadas e felicidade. Os bons espíritos conversavam com o meu espírito. Chorava, e, ao mesmo tempo, sentia uma felicidade plena. Não queria perdê-la. Fechei os olhos, me transportando para um lugar mágico. O único que realmente conhecia. Fairyland, a maior região da dimensão das fadas.

Quando abria os olhos, via o exuberante salão. Ao fechá-los, via a mata verde de Fairyland. Ao fundo o castelo onde minha mãe reinava. Que saudade dela. Não era possível descrever a sensação que sentia quando cantava e tocava aquela música. Felicidade... seria pouco.

Senti uma presença em certo ponto da música. Porém, meu transe me atrapalhava. Estava tão imersa em meus sentimentos, que não sabia distinguir se era da Terra ou do Reino das Fadas.

Sabia somente que me completava.

Continuei a cantar alto. Uma pessoa pegou um banquinho no salão de música, posicionando-o atrás de mim e me fazendo notar que a presença vinha da Terra.

– Arthur – sussurrei.

Ele fez sinal de silêncio pondo o indicador sobre os lábios, me incentivando a continuar a melodia. Sentou-se, me abraçando pelas costas. Cuidadosamente pegou a mão que tocava o violoncelo, conduzindo-a. Apenas eu cantava. Parecia que estávamos tocando por horas, quando ele levantou, me levando junto com ele. Havia enfeitiçado o instrumento para que continuasse a tocar. Pela primeira vez o vi praticar magia.

Ele pegou minha mão, me conduzindo para uma parte vazia do salão, que parecia uma pista de dança. Pegou minha outra mão de uma forma carinhosa, envolvendo-a em seu pescoço. Em seguida, começamos a dançar conforme o ritmo. A dança era sensual. Ele conduzia como se tivesse decorado cada batida, cada passo no momento certo. Sentia-me feliz. Muito feliz. Algo anormal para minha natureza triste. Desde que o conheci, me sentia assim.

A sensação de formigamento que passava pelo corpo, principalmente na nuca, me deixava arrepiada. A sedução dos toques dos dedos dele em minha cintura aquecia os movimentos. Arthur devagarzinho começou a beijar minha nuca. Em poucos segundos, beijava meu colo. Ficava fascinada por aquele homem misterioso.

Não sabia nada sobre sua família de bruxos, nem sobre os motivos de ter ficado perturbado em Trafalgar Square. Mas sabia que ele me seduzia e eu o desejava.

Só que a lembrança dele correndo desesperado pela praça desviava minha atenção. Ele roçava os lábios nos meus. Eu sabia que o beijo estava próximo. As imagens dele correndo continuavam a aparecer.

Quando ia me beijar...

Empurrei-o bruscamente.

Um barulho alto ecoou pelo salão. Devia ter vindo do violoncelo que não tocava mais. Não consegui encará-lo, saí correndo pela casa. Subi as escadas me sentindo confusa. Em meio a emoções selvagens, não parava para refletir sobre o que havia acabado de acontecer. Precisava saber se valia a pena me envolver com o rapaz misterioso. Cheguei em frente a um quarto, mas antes de entrar li sua descrição. QUARTO DE HÓSPEDES – FAIRYLAND.

Girei a maçaneta e entrei. Permaneci muda por instantes. A visão do quarto me aturdiu.

Conseguia ouvir Arthur dizendo na noite passada: "Calma, sei sobre vocês. Sou da antiga tradição, só não acreditava nesta parte. Sabia que nas lendas vocês são descritas como menorzinhas?"

Impossível ele não saber antes sobre fadas. Elas deviam tê-lo enviado para me encontrar naquela floresta. Sentia-me enganada. Ele sabia sobre Fairyland. Fiquei um tempo sentada na cama, sem conseguir me mover. Poucos minutos depois, Arthur entrou no quarto.

– Eu não sei por que está aqui – disse ele. – Eu juro.

Pela primeira vez sentia raiva dele.

– Belo mentiroso está se saindo!

Arthur sentou-se na poltrona branca, perto da cama de madeira clara do quarto, com pedras preciosas cravadas na cabeceira. Nós dois estávamos quietos. Os dois confusos. Precisávamos conversar para entender nossas histórias de vida.

Por eu estar sentada de lado, percebi pelo movimento de seus olhos que Arthur notou minha tatuagem na lombar direita.

– Não havia reparado em sua tatuagem. Ela é muito bonita. Você não deveria cobri-la tanto.

– Eu cubro porque ela me lembra do pior dia de minha vida.

Por que eu ainda conversava com ele?

– Será que nunca vai me contar sua história? – ele perguntou, como se tudo estivesse normal.

– Quer mesmo saber? Não seria se envolver demais comigo? – rebati a pergunta.

– Mais envolvido... impossível.

Ajeitei o corpo na cama, ficando virada para a janela ao lado. A grande vidraça mostrava um campo de flores que devia ser o jardim da casa de Arthur. Preferia contar a história sem observar a reação dele. Ela doía demais.

– Há meses, na madrugada do meu aniversário de 18 anos, senti uma dor em minha cintura, no local onde está a tatuagem. Queimava demais a região, não me deixando chamar por ajuda. Na hora, senti um cheiro forte de canela. Parecia tudo estranho, só que chegou uma hora em que a dor parou – interrompi a fala enxugando uma lágrima. – E ouvi meu pai...

– Ouviu seu pai?

– Sim! Um grito dele. Com isso, apaguei da memória o que tinha acontecido comigo e saí correndo para o quarto de meus pais. Lá encontrei minha mãe ajoelhada aos pés da cama. Meu pai estava deitado.

Assustada, senti o nó na garganta que tive naquela noite quando indaguei minha mãe: "Mãe, o que houve? O que aconteceu com o papai?"

Ela não respondia. Revoltada me exaltei gritando com ela, que continuava parada como uma estátua. Senti um vendaval repentino entrando no quarto. Ainda sinto o vento em meus cabelos, mesmo que na hora todas as janelas estivessem fechadas. Neste dia me transportei para Fairyland pela primeira vez. O nó na garganta ainda me incomodava, me fazendo voltar a atenção para Arthur.

– Você não sabia que era uma fada? – perguntou o rapaz.

Expliquei que não tinha ideia disso. Contei minha experiência em Fairyland, como fiquei sabendo sobre a "marca da fada", tatuagem que toda fada adulta recebe. Expliquei que minha recepção foi diferente, pois meu pai era o príncipe do Reino das Fadas.

Único filho da família real. Nesse dia me contaram que ele se apaixonou pela minha mãe, uma mera humana, em uma de suas viagens à dimensão dos mortais. Ele, naquela época, havia ficado muito doente, mesmo não aparentando. Por isso, precisava se casar para o quanto antes ter um herdeiro. Tudo parecia ir muito bem, e havia encontrado a mulher que amava, porém minha mãe não pôde gerar o filho que meu pai precisava.

Nós dois ficamos calados por alguns minutos. Não ouvia nem o suspiro de Arthur. Mesmo segurando o choro, que tentava sair de modo descontrolado, continuei contando minha história. Ele precisava saber esses detalhes para entender por que perdi pessoas queridas.

– Minha avó era uma fada poderosa, mas havia feito muitos inimigos. Com meu pai doente, ela tinha medo de a família perder o trono, por isso gastou suas últimas energias em um poderoso feitiço. Minha mãe teria a oportunidade de ter uma criança, meu pai viveria até os 18 anos dela e secretamente a treinaria. Eu não sabia, mas durante muitos anos meu pai me ensinava coisas malucas como latim, que na verdade eram feitiços. Sendo assim, em meu aniversário perderia meu pai, e também minha avó.

– Então quando recebeu a tatuagem seu pai morreu? – indagou um atônito Arthur. Ou pelo menos parecia assim.

– Sim. Minha mãe diz que ele cumpriu seu dever – minhas lágrimas aumentaram. – Pior que meu destino não é em Fairyland. É na sua dimensão. Desde meu aniversário estou sozinha, pois minha mãe teve que partir para governar em meu lugar. Em resumo, meu pai e meus avós estão mortos. Estou sem rumo. Não sei o que fazer...

– Mas qual é o seu destino, Mel? – indagou Arthur.

Dei um longo suspiro desviando o olhar da janela.

– Esperava que você pudesse me contar.

26 DE OUTUBRO

8

O céu começava a clarear na medida em que a noite desastrosa desaparecia. O vento soprava mais forte, mas o ar continuava abafado, diferente das noites gélidas. Ao redor, pétalas de flores caíam magicamente pelo ar, dificultando a visão. De onde elas surgiam eu não sabia, mas não conseguia me sentir à vontade como deveria com aquela visão tão bonita. As gralhas negras, do lado de fora da janela, pararam de fazer seu típico barulho. Em vez disso, empoleiravam-se nos galhos me observando. Não sabia se elas podiam realmente me observar, mas por alguma razão sentia isso. Esse tipo de pássaro encontrava-se em diversos parques de Londres, como no Regent's Park, mas algo me parecia errado com os bichinhos. Davam-me uma sensação macabra. Talvez fossem coisas da minha imaginação fértil. Não pensava com clareza desde a noite anterior, mas sem dúvidas as gralhas eram estranhas.

Acordei confusa. Na verdade, sentia-me muito confusa com tudo. Ainda sentado na poltrona desconfortável, Arthur dormia encolhido. Cheguei a ficar com dó por ele ter passado a noite assim, mas depois me lembrei dos últimos acontecimentos. Então o sentimento foi embora pela minha vontade de o ver triste como eu. Tentava me lembrar de nossa última conversa. O cansaço era tanto que não me recordava quando tínhamos adormecido. Sentia-me presa naquela casa e tinha medo do rapaz. Com isso, o gosto amargo das lembranças voltou a me assombrar. "Esperava que você pudesse me contar...", essa tinha sido minha última fala. E Arthur havia afirmado: "Teria o maior prazer em explicar, se soubesse o que está acontecendo."

Ficamos por muito tempo acordados, quietos, pensando em como o destino era engraçado. A tristeza da noite anterior ainda permanecia.

Depois da inquietante observação, Arthur acordou, e preferi que isso acontecesse, pois não sei se conseguiria ficar por muito tempo na cama agoniada. Estava muito agitada para voltar a dormir e precisava ir embora. Não me restava nada para fazer na casa. Se ele não falasse comigo, naquele momento, iria embora. Havia decidido isso e não queria voltar atrás.

Meus olhos estavam vermelhos, ardendo e pulsando como se estivessem em brasa . Aquele dia já parecia não ter fim, o mais triste era saber que havia um longo caminho pela frente. Muitas perguntas e poucas respostas.

– Vou sentir falta – disse o rapaz, quebrando o silêncio.

A primeira sentença dita por ele naquele dia, já não fazia sentido.

– Do que irá sentir falta? – perguntei.

– De suas asas.

Então elas tinham sumido. Aquilo me dava uma sensação de alívio pelo corpo, principalmente no coração. Deviam estar curadas o bastante para se contraírem. Fiquei satisfeita. A minha expressão carrancuda desapareceu com a notícia. Trazia-me uma sensação de liberdade. Não podia mais voar, mas também não ficava restrita àquela casa. Podia agora ir embora sem problemas.

Arthur levantou-se espreguiçando. Reparei que o rapaz fixou o olhar na janela, notando as gralhas empoleiradas. Será que ele também percebia a falta de som e o olhar sombrio delas?

– Faz muito tempo que estão ali? – perguntou, indicando com a cabeça a janela.

Respondi que sim, não tinha muita vontade de falar sobre assuntos triviais. Percebi que ele direcionou um olhar feio para os animais, mas eles não se importaram. Não iriam sair da árvore, enquanto alguém não os expulsasse. As pétalas mágicas continuavam a cair do teto. Não havia um botão para desligar isso? Meu humor não melhorava. As coisas ao meu redor pareciam se tornar mais pesadas, chatas, irritantes.

– Hoje está um dia bonito – comentou o rapaz ignorando meu humor. – Que tal aproveitarmos a ausência de suas asas para passearmos? Posso ausentar-me da empresa. Assim poderíamos conversar.

– Não quero mais atrapalhar você – disse em tom ríspido. – Estou sendo um estorvo. Sem as asas posso ir embora. Creio que não haja mais necessidade de ficar aqui.

– Você não é um estorvo, Mel – ele afirmou. – Acredite, estou tão curioso quanto você para saber o que está acontecendo. Acho melhor se arrumar para tomarmos o café fora de casa. Precisamos aproveitar esse sol.

Arthur saiu do quarto, sem esperar minha confirmação. Pela forma como eu agia ou expressava, era possível reparar meus conflitos internos. Ele não me deixaria ir.

Enquanto ficava pensando se levaria Arthur até o pub, uma borboleta pousou em minha mão. Se fosse em outro quarto, provavelmente ficaria surpresa pelo acontecimento, pois não era todo dia que um inseto fazia aquilo. Como estava em um chamado Fairyland, não me surpreendia com o pouso. A borboleta permanecia na ponta do meu dedo, batendo as asas em um ritmo lento. Se não me mexesse, ela ficaria por um bom tempo naquela posição. Mas tempo era algo que eu não tinha, então movi os dedos para que voasse. Acabei me sentindo mal por assustá-la.

Uma pessoa sem tempo para observar uma criatura daquelas realmente deveria ter uma vida triste.

A raiva passava conforme os minutos transcorriam, provavelmente por aos poucos esquecer-me dela. Sentia agora que não precisava ter sido tão radical ao ver o nome Fairyland naquele quarto.

Desde que conheci Arthur havíamos tido momentos maravilhosos juntos. Não conseguia esquecer esse detalhe. Quando fechava os olhos, o via com os cabelos bagunçados, sentado no tatame conversando comigo enquanto tentava me recuperar. Lembrava-me de como ele ficou encabulado ao olhar meu corpo enquanto me vestia. Sentia que poderíamos passar dias nos braços um do outro, nos beijando, fazendo amor em frente a uma lareira, para depois permanecermos abraçados observando as chamas dançarem em um show privado. Conseguia ouvi-lo recitar meu poema favorito enquanto ficava deitada em seu colo, escutando com olhos sonolentos. Quase ouvia as palavras ditas de forma envolvente, com o sotaque acentuado.

O dia havia amanhecido deixando a cidade quente como o fogo de um dragão. Aquilo não era nada agradável. Preferiria ficar em uma sala fria de paralisar o corpo a passear em um sol daqueles. Consegui abrir a janela para fazer o ar circular. Ouvi os esquilos correndo por entre as folhas no jardim. Chegava a me assustar a rapidez dos animais felpudos, mas não me importava eles estarem ali. Os sons dos animais do quarto e do quintal eram reais, ressuscitavam dentro de mim uma grande emoção de não ter que lidar com carros e tumultos naquele momento.

Logo Arthur me procuraria, e eu continuava a pensar na vida, por isso não tive escolha a não ser me vestir.

Quando terminei de me arrumar, desci para o primeiro andar, à procura do rapaz. Encontrei-o no ESCRITÓRIO – IRLANDA.

– Você está maravilhosa – disse ao me ver.

O tom de sua voz parecia sincero. Fui pega desprevenida pelo elogio. Ele tinha um sorriso cativante, que tornava minhas inseguranças pequenas. Em seguida Arthur pediu que o levasse a um lugar para abastecê-lo. Achei engraçada a forma como falava de sua fome. Pela primeira vez pude sair da casa. Desde o acidente não apresentava uma aparência aceitável para me aventurar pelas ruas de Londres. Pessoas ficariam chocadas com uma mulher de asas coloridas dentro do metrô. A Inglaterra sempre foi um país diferente, onde as pessoas costumam trabalhar em multinacionais com o cabelo verde, pele coberta de tatuagens e coisas do tipo. Mas mostrar minhas asas em público não seria a mesma coisa. Mesmo no Halloween, andando por Camden Town, eu não conseguiria ser igual. Iria assustar britânicos e turistas. Sairia em capas de revistas e noticiários sensacionalistas. Consigo até ler as manchetes: "Mulher fada assusta crianças em praça pública".

Ao sairmos da casa pude vê-la pela primeira vez. Por dentro, passava a impressão de ser enorme, mas por fora tinha a aparência de ser muito pequena. Fiquei intrigada em como isso poderia ser possível. Resolvi ignorar o fato e observar os detalhes da construção. Ela tinha tijolinhos à vista, que chegavam até o telhado pontiagudo. Telhas cinzas alinhadas e uma curta chaminé. As janelas e portas mantinham os umbrais brancos, como os do quarto Fairyland. Havia um pequeno gramado na frente, mas nenhuma cerca. Só havia uma nos fundos, para ninguém ter acesso ao jardim. Arthur, notando meus olhos fixos na casa, cochichou:

– Feitiço de diminuição para evitar comentários.

Ele estava certo em fazer isso. Tudo que era muito grande chamava atenção. Minha mãe não gostava disso, a dele deveria sentir a mesma coisa.

Em pouco tempo tínhamos chegado até a Trafalgar Square. Como sempre, ela estava lotada de turistas. Caminhamos para o pub, pois eu queria apresentar meus amigos. Assim ele podia se alimentar, e eu dar notícias para eles.

Olinda foi fácil de achar. A robusta italiana andava de um lado para o outro, como sempre agitada. Não sabia se conseguiria chamar sua atenção. O café da manhã no local sempre foi muito concorrido, pois existiam diversas empresas na região. Os empregados recorriam aos italianos para satisfazer a fome matinal.

– Querida! Como você está? O que aconteceu? Quem é esse rapaz? Você está ferida? – perguntava Olinda, sem respirar.

Achava comovente a atitude dela, sempre preocupada comigo. As perguntas continuaram. Ela me esmagava com os braços. Óbvio que com a falta de ar não consegui responder, apenas balançava a cabeça para todas as perguntas. Vincento apareceu ao lado de Arthur, apresentando-se. Algo em sua atitude me chamou atenção. Ele não parecia simpático como de costume. Notei que havia cumprimentado Arthur com uma expressão séria, um ar de superioridade. Nunca havia visto o italiano assim. O que será que tinha acontecido?

Aos poucos o pub foi esvaziando, dando tempo para nós quatro ficarmos conversando. Arthur já havia experimentado todos os bolos possíveis e tomado um de meus chás prediletos. Olinda continuava a falar pelos cotovelos, sempre perguntando se ele queria alguma coisa ou pedindo detalhes íntimos da vida dele, que me deixavam envergonhada. Ela não fazia por mal, mas eu via a expressão de Arthur quando Olinda fazia-lhe uma pergunta desconcertante. Ele não levava as coisas tão a sério como eu, por isso constantemente soltava um sorriso. Mas eu notava o olhar penetrante de Vincento em direção ao rapaz e observava a forma como meu velho amigo respondia com um resmungo a qualquer pergunta. Será que eu havia feito algo? Quando o italiano resolveu entrar na conversa, preferi que não o tivesse feito.

– Quais suas intenções com a Mel?

Vincento disse em uma tacada só, fazendo todos da mesa engasgar. Olinda demorou alguns minutos para se recuperar. Ela fazia perguntas indiscretas, mas nada me envolvendo, não devia estar esperando essa reação do marido. Eu já me sentia apavorada com o que Arthur iria dizer. Não tinha coragem de olhar para ele, mesmo precisando. Mas não o deixaria sozinho em um momento desses.

Quando o encarei parecia tranquilo. Na verdade, não sabia identificar bem sua expressão. Mesmo assim, senti um lampejo de choque em seu olhar. Por alguns segundos, mas presenciei.

– Minha intenção é poder ficar o máximo possível ao lado dela. Vocês já a conhecem há muito mais tempo e sabem como é impossível resistir ao seu encanto.

De uma hora para a outra, Vincento parecia outra pessoa. Aliás, a mesma pessoa de sempre, pois sua versão séria que era estranha. Senti um grande alívio quando o italiano o convidou para voltar quantas vezes quisesse. Mesmo gostando de Vincento, minha cabeça não iria suportar um clima estranho daquele para sempre. Talvez eu não colocasse mais os pés ali acompanhada de Arthur se o italiano não voltasse ao normal.

Fiquei imaginando quando teria a oportunidade de voltar ao pub com o rapaz ao meu lado.

Isso se eu fosse mesmo tê-la.

9

No geral, tivemos um momento agradável na companhia de meus amigos. Ao sairmos, Arthur disse que ainda queria passear. Sempre repetia como o sol estava ótimo para isso. Enquanto andávamos sem rumo, ele perguntava sobre minha vida, hobbies, sonhos. Desejava conhecer mais sobre o meu mundo, minhas ocupações, objetivos de vida. Eu me sentia assustada com essa intimidade. Com a facilidade de conversar sobre assuntos antes mantidos a sete chaves.

Como ele não tinha ideia de onde me levar, pensei em um lugar perfeito. Animada, expliquei que queria levá-lo a Epping Forest, a floresta em que ele havia me atropelado. De início não se mostrou animado, mas concordou em ir quando disse que existia muita magia lá. Peguei sua mão, começando a correr pelas ruas atrás de um táxi. Sairia uma nota preta a corrida, mas queria chegar o quanto antes no local. Algumas pessoas em nosso caminho ficaram espantadas, outras achavam engraçado um casal de jovens correndo como se fossem duas crianças de 5 anos em uma festa de aniversário. Ouvia a gargalhada de Arthur entrar pelo meu ouvido, enchendo-me de alegria com o simples timbre de sua voz. Como me sentia bem ao seu lado, fazendo coisas aparentemente bobas, mas significativas, como me divertir com ele. Sentia que eu podia ser eu mesma ao seu lado.

Encontramos o táxi e pedi para nos levar até a entrada da floresta. O taxista sorriu sabendo a bolada que receberia. De lá para minha casa não era longe, então gostaria de fazer o caminho a pé com Arthur. Após cinquenta minutos, chegamos ao local que eu queria e começamos a caminhada até a minha casa, andando em passos lentos. Um pouco antes de chegarmos, paramos para admirar a paisagem do local. Eu morava em uma região afastada do centro de Londres, na divisa com a cidade de Essex. Em relação aonde se localizava, não se podia dizer que era um lugar feio. A região era muito arborizada, com casas separadas umas das outras, onde o silêncio reinava absoluto. Até os carros pareciam evitar o local. Não sabia nem por que Arthur havia passado de carro por lá. Provavelmente seu emprego devia ser pela região.

Decidi que iria chegar em casa, pegar algumas coisas que me faltavam, para logo sair. Apesar de a casa ser tão bonita, não gostava de ficar no local, pois me lembrava da ausência de minha mãe e da morte do meu pai.

Arthur já conhecia a floresta, mas eu queria ter a experiência de desbravá-la com ele. Entramos em casa, e logo pude ver a expressão de espanto dele ao descobrir as condições em que eu vivia ultimamente. O lugar parecia um pequeno castelo perdido no meio da mata, mas aquilo não importava; no momento não passava de uma construção abandonada, bagunçada e mal cheirosa. Não passava muito tempo lá, e talvez a intenção fosse deixá-la assim. Desorganizada como minha vida. Será que ela estava assim por que não existia mais ninguém para arrumá-la? Tinha me tornado uma relaxada? O importante era que quanto mais bagunçada, mais refletia a minha vida. Minha doce e amargurada vida.

Saímos da casa, em direção à floresta. Ainda não me sentia confortável em voltar lá tantas vezes, mas queria muito mostrar o local. De dia os raios de sol sobreviventes do outono surgiam por entre as árvores formando um colorido diferente e mágico. Sempre fiquei encantada com a transformação da natureza nas estações. Sentia tranquilidade. Mas voltar ali ainda era estranho.

Chegamos ao começo da floresta. Precisava pedir permissão para entrar. Antes de ensiná-lo como fazer, o vi murmurar o pedido. Aquilo me fez sorrir. Sempre me senti estranha fazendo esse tipo de coisa, que meu pai tinha me ensinado. Ao ver aquele homem encantador ao meu lado fazendo o mesmo, percebi que não precisava ficar sozinha nesse mundo. Não parecia mais uma estranha. Enquanto estivesse com ele, tudo poderia ficar bem.

Andamos pela floresta, pulando os galhos retorcidos no chão, não nos importando de sujar os sapatos com a terra. Gostava de olhar os pássaros, também as sombras das árvores no chão, formando formas macabras nos caminhos. As árvores de Epping Forest eram muito belas no outono: verde, amarelo, vermelho, laranja e todas as tonalidades intermediárias se misturavam no balançar dos galhos. As cores vivas se destacavam com o sol. Pela milésima vez, me arrependia de ter passado tanto tempo sem visitá-la. A paz encontrada naquele santuário mágico sempre foi difícil de relatar.

– Essa floresta é encantadora – comentou Arthur no meio de nossa caminhada. – Lembra-me muito da minha infância. Meus pais, quando eram vivos, costumavam me levar para fazer trilhas. Apesar de nossa fábrica não ficar muito longe daqui, nunca havia realmente visitado esta floresta. Apenas tinha passado de carro por ela.

Sentamos em um tronco caído na estrada, coberto de folhas e fungos monocromáticos. Aquela parecia ser a perfeita hora para perguntar ao rapaz sobre sua vida. Já imaginava que seus pais não eram vivos, mas ele nunca entrava em detalhes. Não sabia se a morte havia sido recente. Talvez nem fosse, mas algo o deixava perturbado. Percebi isso no pouco tempo que convivíamos e pela maneira com que nos cruzamos na Trafalgar Square. Poderia me arrepender de perguntar, mas ele já sabia muito sobre mim. Eu nada sabia dele. Agora era a hora. Reunindo toda coragem, confessei:

– Vou ser honesta com você, Arthur. Já havia visto você antes em duas ocasiões.

O rapaz até então observava uma gralha empoleirada em uma das árvores baixas, mas virou-se me encarando com os olhos semicerrados. Ignorei o fato de ele ter me olhado daquela forma, e continuei:

– Há quatro dias fiz um feitiço para encontrar alguém que pudesse me ajudar dando pistas sobre meu destino. Seu rosto apareceu para mim como em uma visão. O que mais me intrigou foi que, no mesmo dia, ao atravessar a faixa de pedestres em frente à Trafalgar Square, eu o vi correndo, perturbado. Eu sei que deveria ter lhe contado antes, mas não sabia como lhe falar isso.

O tempo passou. Continuava quente. Arthur ficou calado, ouvindo pássaros assobiando, alheios à nossa presença, e aquilo me irritou. Eu queria saber mais detalhes de sua vida. Ele parecia não querer ceder.

– Eu conto a você toda minha vida. E na sua vez você se cala? – questionei alterada, com os braços tremendo.

O modo como Arthur olhava para os pássaros, como se não os estivesse vendo, passava a impressão de estar calmo, mas eu sabia que aquilo funcionava como uma máscara. Como uma pessoa poderia ficar calma com outra cuspindo palavras a sua frente?

– Pensei que estivéssemos começando uma amizade. Acho que me enganei.

Sentia todo o meu corpo tremer e minha frustração parecia queimar meu interior. O olhar fixo dele no pássaro bobo não ajudava. Arthur se aproveitou de meu sofrimento, da aflição que sentia por querer respostas, para me dar o castigo do silêncio. Mas do que adiantaria isso?

Ele não parecia afetado com minhas palavras. Continuava a olhar para o estúpido pássaro! Comecei a andar rumo à saída da floresta. Mesmo afastada, sentia raiva de saber que Arthur não me olhava, nem sequer me seguia. Este seu ar apático trouxe à tona todos aqueles sentimentos de rejeição que eu mantinha, e percebi ser impossível reprimi-los. Fiz isso minha vida toda e de nada tinha adiantado. Soube então que queria vê-lo outra vez. Tentar saber quem era pela última vez. Isso era o que mais queria no mundo. Entender Arthur. Uma frustração e sentimento de derrota tomou conta do meu corpo. Voltaria? Tentaria procurá-lo? Iria gritar ou tentar uma conversa pacífica? Não aguentando, voltei à clareira onde estávamos. Ele continuava lá. Olhando.

Dava para imaginar qual foi minha reação. Se fosse briga que Arthur queria, briga iria ter.

– Como você simplesmente me ignora? – disse irritada. – Deixou-me ir embora, sem ao menos falar comigo? Que tipo de homem você é?

Arthur cometia um grande erro. Conseguia me deixar mais brava. Minhas mãos tremiam. Sentia um nó na garganta, também um aperto no coração. Pela primeira vez ele se moveu, desviando a atenção do animal, e fixando o olhar em mim.

Um minuto se passou. Dois. Três. Nada de ele me responder. Eu precisava de respostas! Quando me deu uma vontade louca de voar em seu pescoço, Arthur começou a rir. E não se importava com meu rosto vermelho ou minha postura descontrolada. Ele ria.

A gargalhada intensa foi a última gota.

– Ah! Só me faltava essa. Qual é a graça nisso tudo?

Mas ele também não respondia. Poucas vezes me descontrolei assim. Ele havia me devolvido a esperança de encontrar uma pessoa que me entendesse. Por vezes passava em minha cabeça que a culpada das brigas poderia ser eu, por tentar tirar dele informações íntimas demais. Mas agora me provava o contrário. Quando o som da risada cessou, ele disse:

– Você é *igualzinha* a minha mãe.

Parecia que haviam me jogado um balde de água fria. Foi como se uma bigorna tivesse caído na minha cabeça, como acontecia nos desenhos animados.

O que ele queria dizer com isso?

Isso era o que eu iria descobrir.

Agora.

10

Sentei-me no tronco da árvore, de onde ele não havia se mexido. Até o momento eu esbravejava de um lado para o outro; precisava me tranquilizar. Quem sabe conversar com calma.

– O que você quis dizer com isso? – indaguei, e nem um pouco amistosa.

O rapaz sorriu.

– Ela costumava ficar brava comigo o tempo todo. Na maior parte das vezes quando eu não lhe dava atenção. Aí ficava horas tagarelando até eu não aguentar.

Pronto! Agora ele me comparava com a mãe lhe dando bronca. Isso não podia ser um bom sinal. O rapaz por quem eu começava a ter sentimentos me comparava com a sogra, que eu nem sabia direito quem era.

– Depois de um tempo tentando entender por que ela gostava de gritar tanto, entendi que aquilo me deixava feliz – disse Arthur.

Fiquei confusa com o comentário.

– Você ficava feliz com sua mãe brigando contigo?

– Sim. Costumava provocá-la apenas para ver a cena. Sentia ser aquele nosso momento de conexão, quando eu percebia que minha mãe se importava comigo. Sinto falta dela. Também dos gritos.

Arthur abaixou a cabeça, e não quis pressioná-lo mais com aquela história. Um dia talvez ele se abrisse comigo, se chegasse o momento. Tinha que aceitar isso. Resolvi animá-lo, espantando o clima de enterro. Estávamos em uma floresta em que os animais dançavam aos nossos pés procurando alimentos. Em um lugar mágico onde até o ar era mais puro. Não precisávamos ficar tristes, muito menos brigar.

– Arthur... se você pudesse fazer algo impossível, o que faria? – perguntei.

Ele parou encarando os pássaros. Já percebi que significava o momento de reflexão dele. Arthur começou a me encarar. Soltando uma risada, comentou:

– Tenho vontade de fazer uma coisa, mas chega a dar vergonha de dizer.

– Sei que gritei com você há alguns minutos, mas no final das contas sou sua amiga. Não precisa ter vergonha.

Arthur me confessou entre dentes, falando baixinho:

– Tenho vontade de voar.

Sorri ao ouvir o desejo. Ele afirmava saber que se tratava de uma coisa infantil, mas a sensação de liberdade que poderia sentir ao voar sempre foi algo que sonhava experimentar.

– E se eu pudesse realizar esse sonho? – perguntei feito uma pessoa que falava sério.

– Sei que pode voar, Mel, mas fazer os outros voarem não é mais difícil?

Apenas sorri para ele. Mal sabia o rapaz que aquele dia seria inesquecível.

Peguei sua mão, correndo pela floresta adentro. Chegamos a uma clareira de difícil acesso, onde o ar era tão denso que parecia possível pegá-lo com as mãos. Verifiquei se alguém passava por perto. Para nossa sorte a floresta não tinha visitantes.

– Essa vai ser a melhor experiência da sua vida! – exclamei.

Ele riu, talvez por achar engraçada a minha confiança, talvez por não levá-la a sério. Apertava as mãos com nervosismo. Deveria estar ansioso. Peguei suas mãos, quase esmagando os seus dedos. Queria mostrar com a intensidade do aperto que estava ao seu lado.

– Preciso que se mantenha concentrado em minhas instruções.

Ele me olhava sério, mas em seguida desatava a dar risadas. Vi que tentava conter o riso, porém, nenhum de nós conseguia parar de rir.

– Antes de fazer meu ritual, tenho que nos esconder dos humanos para não causarmos confusão. Vou nos tornar invisíveis. Tudo bem?

Agora que Arthur ria ainda mais.

– Além de virar o Super-Homem, vou ser o Homem Invisível?

Apenas sorri, e pronunciei:

– *Illegitimi non carborundum.*

O feitiço fora dito. Nossos corpos foram perdendo a cor. Aos poucos o tom da pele, cabelo, roupas, perdia foco. Ficamos transparentes. Um ato mágico muito bonito de ver. Nos enxergávamos um ao outro, porém sabíamos que não seria possível os outros nos enxergarem.

Abri as asas e elas lentamente dançaram. As cores brilhantes podiam cegar alguém com o reflexo do sol. Minha transformação estava completa.

Pedi a Arthur que fechasse os olhos e esperei para ver se realmente o faria. Confirmando, apertei suas mãos, dando a instrução de que ele não as soltasse. Dei um pequeno salto tentando me estabilizar no ar, para conseguir flutuar fora da terra firme.

– Arthur, preciso saber de uma coisa... – alertei. – Você confia em mim?

Uma voz demonstrando confiança disse:

– Com certeza!

Sentindo-me realizada por ouvir sua confiança, puxei-o para cima, fazendo-o dar um pulo. Nossos pés deixaram a terra. Queria aumentar a velocidade, mas Arthur precisava se acostumar com a inversão de gravidade. Fomos subindo e chegamos a quase cinquenta metros de distância do solo, quando o mandei abrir os olhos.

– Esse é o mundo visto de cima, Arthur!

O rosto iluminou-se. Podia ver o sorriso de orelha a orelha. Ouvia interjeições a cada vez que subíamos mais um metro. Soltei uma de suas mãos, fazendo-o olhar desesperado para mim. Tranquilizei-o com outro sorriso.

Continuamos a voar pela tarde, tentando compensar anos que ele não sabia que isso seria possível. Tudo no mundo parecia mais bonito.

– Agora essa é a cena mais bonita da minha vida – ele comentou chorando.

Pelo sorriso ainda estampado, aquelas lágrimas significavam algo a mais. Arthur tentava agradecer, mas as palavras não saíam. Nada mais precisava ser dito.

– O prazer é meu! – respondi ao elogio não feito.

Em alta velocidade passávamos por nuvens, voando pelo céu. Conforme ele pedia, aumentava o ritmo. Fazíamos brincadeiras bobas, parecendo duas crianças, como Peter Pan e Wendy. Meu corpo se contorcia, realizando piruetas pelo ar. Ele acompanhava os movimentos com certa graça. Nunca voar havia sido tão divertido. Toda mágoa que guardava de minha infância evaporava.

O pôr do sol anunciou a entrada do anoitecer. Ficamos sentindo a brisa gelada da noite. O céu pintado de laranja e rosa dava contraste ao frio. Naquele horizonte fiz um agradecimento. Agradeci por ter encontrado aquele homem. *O homem.*

Se ele parecia certo para mim? Pouco importava. Era ele quem estava ao meu lado.

Quem eu queria que estivesse na minha vida.

27 DE OUTUBRO

11

Por entre as sombras da floresta encantada, um majestoso castelo brilhante destacava-se. Aquele era o castelo de Fairyland. No interior, as duas entidades mais importantes daquela região debatiam sobre os problemas do reino. Uma atendia por Vossa Majestade rainha Ciale, e utilizava um elegante vestido bordô esvoaçante. Perguntava diversas questões para a outra, chamada Nuby. A fada que respondia cuidava de toda a parte financeira, uma das áreas mais complicadas de se lidar em Fairyland. A sala onde estavam tinha pouca mobília, mas o pouco que lá havia era muito belo. Pequenas fagulhas saíam do fogo, produzido pelas lenhas empilhadas na base da lareira. O piso de madeira estava tão encerado que era possível se ver no reflexo, e cortinas de veludo vinho emolduravam as janelas.

– Vossa Majestade, Melanie Aine tem que se apressar. Ela precisa começar a governar Fairyland ou nosso reino será arruinado – disse Nuby, a fada com asas azuis, de rosto fino como uma girafa.

– Estamos colocando muita pressão em minha filha. Já estou sendo muito dura com ela. Infelizmente, nada posso fazer a respeito. Enquanto Melanie não descobrir sua missão na Terra, não podemos trazê-la para Fairyland.

– Vossa Majestade, qual a necessidade de ela descobrir a missão agora? Ela não pode voltar depois para concluí-la? Deixar a menina naquela dimensão é menos sensato do que trazê-la de volta, tendo um reino inteiro para governar.

A rainha andava por todos os lados com expressões sisudas e trejeitos ansiosos. Os lábios vermelhos contraídos formavam pequenas rugas.

– Confesso que não entendo toda essa história. Não tenho sangue nobre correndo em minhas veias. Sou apenas uma humana. Você sabe mais de Fairyland do que eu. Os segredos da coroa não me foram passados, mesmo sendo a atual rainha.

Nuby estava preocupada, a única verdadeira herdeira do trono se chamava Melanie Aine das Fadas, filha da atual rainha regente. Ela possuía o sangue nobre em suas veias herdado do pai. Havia sido prometida ao trono, assim que completasse sua missão. Mas pelos últimos acontecimentos, infelizmente, a posse não seria uma celebração. Tempos difíceis para as fadas estavam por vir, e, pelos boatos dos outros seres mágicos, a futura rainha iria ter muitos problemas.

– Os chefes das outras dimensões estão perguntando por ela. A majestade sabe como esses seres são. Pelo fato de ser humana, eles não conseguem aceitá-la como rainha por muito tempo.

– E quais os tipos de problemas que podemos ter com essa impossibilidade de trazer Melanie Aine? – perguntou Ciale, imponente.

Mesmo com medo, ela sabia se portar como uma rainha, por mais que não fosse de sangue puro.

– Se Melanie não começar a reinar, Fairyland estará à mercê das outras dimensões. Já existem fadas nos ignorando. Você viu o que aconteceu conosco quando os humanos nos esqueceram. Deixamos de existir para todos. Viramos personagens de desenhos animados. Agora imagine o que irá acontecer se nem nosso próprio povo acreditar em nós...

– Seria o fim... – disse Ciale dando um suspiro pesado, soltando o ar lentamente.

– Sim, senhora! Seria nosso fim.

A rainha, aos poucos, começava a demonstrar o medo que sentia. Será que se Melanie não voltasse seria o fim da raça feérica?

Somente sua filha poderia resolver isso. Tinha que esperar para ver.

E a rainha temia a espera.

12

O que eu sentia podia parecer familiar, mas não era. Eu nunca havia me apaixonado por alguém. Ou se havia, não sabia de verdade como funcionava a coisa. Será que realmente criei uma armadilha e fui pega por ela? Como podia estar tão envolvida, tão certa dos próprios sentimentos e tão confiante dos sentimentos dele? Estaria ele também interessado em mim? Definitivamente havia algo anormal ali. Algo que fazia uma parte de mim ficar avoada todas as vezes em que pensava nele. Sentia um frio na espinha. O coração forte batendo como um tambor. Parecia uma criança. Mas não podia ser assim.

Nos últimos dias só pensava em Arthur. Deixei o resto do meu cérebro em prontidão, aguardando qualquer pequeno sinal. Aquilo me deixava nervosa. Arthur iria me ajudar. Precisava apenas que ele começasse a fazer isso.

O rapaz não conseguiu escapar do trabalho, pois era dono de uma firma de exportação. Uma empresa que só funcionava quando ele a dirigia. Os funcionários, aparentemente, gostavam da presença do patrão. Decidi que depois iria aproveitar o tatame, e também o equipamento, para treinar minhas técnicas de luta. Talvez pudesse me dedicar ao ocultismo. Fazia tempo que não abria um livro de magia.

Conhecia quase a casa inteira, porém percebi que apenas três alas ficavam sempre trancadas. A porta estranha cheia de símbolos, a sacada e o quarto de Arthur. Como não possuía a chave deles para bisbilhotar, resolvi ir ao jardim meditar.

Chegando ao local florido e com o cheiro das flores *sweet william*, sentei-me. Naquele dia havia caprichado no visual: uma bata azul-marinho, com detalhes prateados na costura, uma calça de ginástica preta grudada ao corpo e botas sem salto, para andar com facilidade. Os longos cabelos loiros prendiam-se em um alto rabo de cavalo.

O jardim mantinha uma beleza exótica com diversos tipos de flores. Eu achava um milagre elas estarem vivas no outono, mas provavelmente Arthur havia feito algo nelas. Folhas alaranjadas ficavam espalhadas por todos os locais. Em algumas partes pareciam compor um tapete cobrindo a antiga grama.

Sentada, decidi respirar fundo para realmente começar o exercício.

– O sol me envolve com seu brilho ofuscante. Sinto que sou capaz de iluminar uma cidade. Sinto-me aquecida como um bebê no útero da mãe. A donzela encantada está protegida. Preciso dessa benção para viver no caminho da fé, e não do ódio – recitei em voz alta.

Fechei os olhos, depois penteei com os dedos a franja para trás, que insistia em cair e embaçar a vista. Enchi o pulmão de ar gelado, ficando com o peito estufado. Foi na expiração que consegui relaxar os músculos.

– Mostra-me um lugar mágico especial. Senhores, me guiem dando sábios conselhos, ensinando sobre o silêncio incompreensível do mundo. Também as danças antigas das tradições passadas. Mostrem-me este mundo que me prende, mas ao mesmo tempo me liberta.

Abri os olhos.

– *Hic et ubique* – gritei.

Chamas azuis como um fogo diferente apareceram em minhas mãos deitadas sob o colo. Elas ardiam, me machucando. Pela primeira vez tentava o feitiço. Com a dor, tive dificuldade de pronunciar os próximos versos.

– Conversem com o céu. Sussurrem para o sol e a lua que sua filha pede sabedoria para esses lendários guerreiros que pairam sobre nós.

Dei um longo assobio, colocando as mãos em chamas na direção do coração. A dor foi instantânea. O poder que até então pulsava dentro de mim explodiu, livre, e fiquei em chamas de repente, sob o céu cinzento. Elas me consumiram.

– *Bis vincit qui se vincit in victoria* – disse com dificuldade.

Meu corpo começou a levitar. Sentia-me leve como uma pluma, voando pelo céu da Inglaterra. Sobrevoava as flores exóticas.

– Sinto as chamas arderem em meu interior. Ouço os bons espíritos. Eles me contam os segredos do universo, mostram os prazeres dos gozos das eternas donzelas negras.

Abri as asas pelo buraco que havia em minha bata. Sentia medo do encantamento, mas precisava aprender esse tipo de coisa. Após tirar minhas mãos pressionadas no peito, todas as chamas se voltaram para elas. Porém, o tamanho das bolas de fogo parecia dez vezes maior.

– Sinto o fogo vendo minhas irmãs que morreram nele. O azul se transforma em vermelho, sangue que banha minha alma.

As chamas tomaram a tonalidade vermelha. O encantamento funcionava.

– *Hic et ubique.*

Uma rajada de vento passou pelo corpo. As chamas, agora vermelhas, crisparam para todos os lados.

– Vejo a mulher, a guerreira, esposa, amante, criança. Vejo-me. Vejo todas elas. Elas me veem. *Mutantur omnia nos et mutamur in illis.*

Enquanto eu ardia pelo fogo no jardim, Arthur chegou de surpresa em casa. Ele havia dito que ficaria um bom tempo na empresa. Levei um susto ao deparar-me com ele. Percebi que por hábito olhou para minhas asas, mas também encarou a bola de fogo em minhas mãos. Sua expressão não foi das melhores. Por que parecia tão bravo?

Não adiantava pensar nisso ali. Havia assuntos sérios a serem resolvidos mais tarde. Isso não podia negar. Pensava que ele estivesse acostumado com magia, já que a mãe praticava diversos feitiços poderosos. Mas precisava continuar com o feitiço. Nunca se deve parar um deles pela metade.

Agora não flutuava apenas sentada em posição de meditação. Andava em pé, pairando sobre ar, quase como se andasse sobre as flores. Em questão de segundos, um vendaval invadiu o jardim como uma espécie de tornado.

– *Hic et ubique* – pronunciei pela última vez.

Uma bola de fogo do tamanho de um punho saiu da minha boca desenhada, passando rente à cabeça de Arthur, quase incendiando seus cabelos espetados, e parou em uma moita perto dele.

Em seguida não me lembro de mais nada.

Aquilo estava virando rotina.

13

Estiquei os braços acima da cabeça, tentando me alongar. Sentia-me mal, e também suja, mesmo estando em lençóis aparentemente frescos. Os músculos estavam endurecidos por causa dos acontecimentos anteriores. Sabia que em breve ficaria um pouco dolorida. Mas o que me fazia sentir mais triste era me lembrar do olhar fuzilante de reprovação de Arthur. Precisava saber o porquê daquele olhar.

Acordei quatro horas depois do incidente com o fogo. Arthur não estava no quarto, mas um clima de frieza pairava no ar. Na escrivaninha de mogno havia um pequeno bilhete feito em papel colorido. Peguei-o animada por me trazer a esperança de Arthur não estar chateado, mas a pequena frase estúpida me desanimou. Fiquei confusa como uma pessoa inexperiente assistindo a uma partida de xadrez profissional.

Ao acordar venha à sala de lutas! Esteja preparada!

Aquilo me parecia estranho. Havia crescido nas lutas marciais, duelando com meu pai, mas o bilhete me lembrava dos pequenos castigos que deveria enfrentar quando fazia algo errado. Arthur parecia querer me castigar de alguma maneira. Mas ele deveria se lembrar de uma coisa: ele não era meu pai. Não tinha essa autoridade. Ou tinha? Pelo menos não deveria. Homem nenhum mandava em mim. O bilhete havia me irritado. Ao mesmo tempo me deixado com medo.

Tomei um banho rápido. Vesti meu quimono dourado, reservado para treinos e cerimônias. Decidi descer a escadaria em direção à sala de lutas. Optei pela forma mais silenciosa possível, da mesma forma que agia em um hospital, só para ver o que ele queria.

Distante, conseguia enxergar a sala. Arthur meditava nela. A expressão serena, muitas vezes doce, havia desaparecido, reinando uma face séria, quase assustadora. Observava escondida. Vi que se levantou para pegar a espada parecida com a Excalibur. Ai, meu Deus! O que ele queria com aquilo?

Minha observação foi interrompida com a voz do rapaz:

– Por que está escondida?

Havia algo estranho na situação. Arthur todo o tempo havia permanecido de costas, segurando a espada. Como sabia que eu estava lá? Impossível ele saber que eu me escondia atrás da parede. Saí do meu esconderijo lentamente, surpresa com o fato de ele haver me descoberto. Envergonhada, entrei calada no tatame, deixando-o tomar a dianteira na conversa.

– Quer saber por que a chamei? – perguntou o garoto sério, encarando a parede.

Concordei com a cabeça, esperando ele falar.

– Vou te contar sobre a história da minha família – disse com a voz ainda séria. – Minha mãe, por todos esses anos, foi considerada a encarnação da Deusa na Grã-Bretanha. Decisão unânime de todas as bruxas europeias. Cresci sendo um príncipe Wicca. Vivi cercado de feitiços e encantamentos. Sempre fui feliz com isso. Magia sempre foi tudo para mim.

Arthur pausou rodopiando a espada.

– Por sermos importantes, fomos adquirindo inimigos. Na maioria, pessoas fracas. Os piores que tínhamos eram os religiosos. Padres que tentavam nos queimar na fogueira em pleno século XXI. Éramos discriminados por eles. Tínhamos que esconder nossas identidades, como fugitivos da lei.

Ele rodopiou outra vez a espada com a agilidade de um ninja, pegando uma kunai presa na roupa e a atirando em um alvo na parede.

– Há cerca de um ano, um líder do clero local se juntou com uma bruxa, arqui-inimiga da minha mãe. Queriam destruí-la. Eles traçaram um plano... No dia 11 de setembro, enquanto meus pais dormiam, o telefone tocou. Receberam uma ligação de uma pessoa da organização que eles participavam, a W.I.C.C.A., e Ingrid, a colaboradora que ligou, contou que Margo, a arqui-inimiga, havia entrado na sede junto com o padre. Haviam raptado alguns membros e os aprisionado no local. Ingrid parecia ter sido uma das poucas não capturadas.

Paralisada de medo, foi como se estivesse congelada em pé naquele tatame. A história da vida de Arthur mostrava um pouco do porquê de ele ser uma pessoa sozinha, talvez perturbada. Mas o que aquilo tinha a ver com o fato de ele querer lutar comigo?

Precisava entender.

Ou me arrepender desse entendimento.

Em todas as pausas, o rapaz movimentava a afiada espada em minha direção. Aquilo estava me incomodando, por isso queria descobrir o objetivo daquela conversa. Algo não cheirava bem.

– No final das contas, não parecia ter sido Margo a comandante do golpe. Acabou sendo Ingrid. Havia sido uma cilada para atrair meus pais à sede – continuou Arthur. – Houve uma longa luta naquela noite. Meus pais foram heróis até o fim, porém a desvantagem sempre foi nítida. Ingrid reuniu trinta bruxos contra eles. No fim, a força bruta acabou ganhando do poder. Por sorte, havia um feitiço antigo naquela sede. Se meus pais fossem mortos dentro do lugar, seus inimigos morreriam junto. Eles não sabiam disso. Desde então, ando traumatizado, me isolei nesta casa. Precisava me afastar do mundo mágico. Agora, odeio magia. Hoje, no momento em que a vi emitindo fogo, me lembrei de Ingrid. Do mal feito a minha família pela magia. Você tinha nos olhos o mesmo instinto que ela. Essa visão não irá embora enquanto não a punir por isso.

O rapaz empunhou a espada em posição de luta.

Eu procurava por um tom de brincadeira em sua voz. Um tom que não encontrava. Ele falava sério mesmo? Eu havia entendido direito?

– Sinto muito por seus pais. Sei como é perdê-los... – uma lágrima salgada cortou meu rosto, morrendo em meu lábio. – Mas você só pode estar de brincadeira. O que eu tenho com isso? Nunca lhe fiz nada.

– Você acha que eu brincaria com um assunto desses, Melanie Aine?

O fato de ele falar meu nome completo me deixou furiosa. Parecia uma leoa prestes a avançar em uma presa. Ele nunca havia me chamado de Melanie Aine.

Arthur parecia querer se vingar de Ingrid. O porquê de me escolher para ser a representação dela é que não fazia sentido. Somente ele conseguia entender essa comparação ridícula. Eu temia pela minha segurança.

Arthur tomou certa distância enquanto viu que eu não levava a sério a luta. Seus pés dançavam pelo tatame com uma habilidade incrível. De longe atirou três shurikens em minha direção. Duas passaram reto, a última virei a tempo para que passasse só de raspão, me fazendo um pequeno corte na face.

Aquilo resultou em um acesso de raiva e uma atitude de negação. Queria trazê-lo de volta a si. Parecia um maluco agindo daquela forma. Será que só eu percebia isso ou estava pirando de vez? Porém, todo esforço me parecia em vão. No minuto seguinte uma lança afiada fez um movimento perigoso ao meu lado. A luta me parecia real, por isso parti para o modo de defesa. Não queria machucar Arthur, mas tinha que me defender da maluquice.

Não me importava de machucar as pessoas, desde que elas merecessem. Jamais, porém, iria fazer alguma coisa com Arthur naquele estado. Embora desde pequena tivesse aprendido a me defender, não iria ferir Arthur. Já enfrentara homens com força e habilidade, mas sentia-me fraca ao lutar com ele. Pouco a pouco, me dava conta de que eu não conseguia lutar porque o amava. Não um amor de irmão. Um amor de almas gêmeas. Aquele que seria para toda a vida.

Ouvia o som da lâmina cortando o ar, como se estivesse passando a poucos centímetros de minha orelha. Desviei dos golpes com maestria. O que será que o idiota pensava? Em um dos giros, no qual me defendia do ataque, tropecei machucando meu tornozelo. Mesmo mantendo-me em pé com certa dificuldade, não conseguia mais me defender. Por isso, vários cortes começaram a aparecer em minha pele. Arthur continuava intacto.

– Pare, Arthur! – gritava.

Não queria machucá-lo, mas minhas pernas bambeavam. Minha voz estava pastosa, parecendo enferrujada, mas ainda estava lá. Compreendi então que a minha garganta estava sentindo uma sede desesperada.

– Mesmo machucada pretende ficar na defensiva? – ele perguntou cinicamente.

Não existia mais o rapaz doce. Exausta, gritei que ele parecia um louco. Uma risada histérica foi o que ouvi em resposta. Em seguida ele apenas disse:

– *Non mihi, non tibi, sed nobis.*

Diversas agulhas finas como de injeção dispararam magicamente em minha direção. Senti o medo me formigar por dentro, como patinhas de dezenas de tarântulas passeando sob minha pele. Ele usava magia! Aquela luta ficava cada vez mais perigosa. A velocidade das agulhas parecia com a de um tiro. Reto. Violento. E em minha direção. Como ele conseguia ser tão cruel? O único modo de me proteger foi projetar um escudo com minhas asas. Agora elas pareciam como cimento, extremamente duras.

Chorava por perder o doce rapaz que havia visto o pôr do sol comigo. Arthur estava tão rude que tinha vontade de matá-lo! Talvez até pudesse. Mas não queria isso. Por que aquele dia simplesmente não terminava?

Minhas asas amoleceram. Tentava entre um desvio e outro raciocinar. Talvez ele estivesse me enfrentando para descontar a raiva guardada. Entendia que Ingrid se parecia comigo por ter poderes mágicos, assim como a mãe dele. Sim. Ele descontava toda a raiva em mim.

– Não quero machucar você! – gritava cuspindo o sangue acumulado na boca.

– Você não é forte o bastante para me enfrentar. É uma simples fada renegada, abandonada por todos, até por sua mãe. Hoje vive se culpando por tudo, dando uma de coitada.

As palavras feriam mais do que os cortes. Desgraçado. Sim, nunca conseguiria machucá-lo da forma como ele fazia, mas o modo como ele me agredia despertava a minha fúria. Eu poderia chegar a atacá-lo. Agora, precisava saber se minha raiva e desprezo por ele iriam durar.

Arthur largou a espada no tatame azul, limpando com a mão livre o suor que pingava da testa pelo esforço da luta. Imaginei que ele havia se cansado. Naquele momento eu poderia desaparecer dali e nunca mais voltar. Ingênua eu. Ele voltou a pegá-la, se preparando para o segundo *round*. Em uma reação inesperada, surtei. Lembrei de cada palavra dita por ele, como em câmera lenta. Subiu um fervor do coração até a testa. Fechei os punhos, cravando as unhas na palma da mão, sem me importar com a dor. Sentia ódio naquele instante. Não me controlei.

Em questão de segundos voei com minhas asas na direção dos punhais, agarrei o primeiro que tinha na frente, pulando em cima de Arthur. Levei a ponta do punhal à sua garganta. A vontade era fazer a faca atravessar a carne. Mas quando a ponta encostou-se à pele, minha mão tremeu. Caí em prantos. Não queria machucá-lo. Ele, percebendo o momento de fraqueza, resolveu instigar:

– Vamos! Mate-me. Não é sua verdadeira vontade?

Segurei com mais confiança o punhal, tomando a coragem de cometer o ato. Mas o medo tomou conta de mim.

Arthur reverteu à posição em que estávamos, deitando-me no tatame escorregadio de suor e sangue. Agarrou a minha mão que segurava o punhal e o encostou em minha própria garganta. Chorei muito assustada, os soluços incontroláveis persistiram e os olhos estavam irritados. Eu iria morrer.

A ação de Arthur foi tão inesperada quanto a luta. Ele contorceu-se como se tivesse se arrepiado dos pés à cabeça. O olhar fulminante foi se tornando doce, lembrando-me dos antigos olhos sedutores. Vendo o punhal encostado na minha garganta, o garoto sofreu um estalo, pois o jogou a metros de distância. A surpresa me fez apertar os lábios, instintivamente.

Arthur chorava como um bebê, mais até do que eu. O que acontecia naquela casa? Saí do transe em que me encontrava. A surpresa do choro não passava. Com o meu engasgado na goela, não consegui pronunciar uma palavra. Ficamos naquela mesma posição por longos minutos.

Arthur me olhou fixamente. Agora via o antigo Arthur. O olhar sedutor dele tomava conta de mim. O desejo que via em seu rosto nos últimos dias voltava. Na mesma posição, deitado por cima de mim, me abraçou, beijando-me loucamente. Um beijo intenso, selvagem, com gosto de sangue. Pois é! Nem eu entendia o que acontecia. Toda adrenalina que corria em ambos os corpos foi transmitida naquele ato. Arthur se transformou de louco a sedutor em segundos. O que não saía da minha cabeça era: o que diabos teria acontecido com aquele menino? O trauma dos pais seria compreensível. A atitude maluca, não.

O tempo passou. A intensidade do beijo também. As respirações alteradas voltaram ao normal. A vista embaçada desapareceu. Agora conseguíamos nos enxergar. Precisava sair daquela posição. Muitas regiões do meu corpo doíam.

Passei a mão na minha testa, franzindo de dor. De um rasgo enorme pingava sangue. Arthur ainda chorava. Parecia chocado com a própria atitude. Mas nem mesmo o terror das experiências pelas quais passara ali, nem o medo e nem o sangue derramado conseguiam modificar o meu sentimento por ele. A luta resultava em uma garota cheia de cortes, sangue para todos os lados, um salão bagunçado com armas espalhadas pelo chão e um clima de enterro.

– Mil desculpas, Mel! – disse o rapaz, tentando enxugar o choro. – Sinto como se minha memória tivesse sido alterada. Eu não a machucaria. Você, mais do que ninguém, sabe disso.

Será que sabia mesmo? Um tremor, que misturava cansaço ao alívio, percorreu meu corpo. Não adiantava tentar entender o que se passava na cabeça dele. Precisava de um banho, remédios e paz. Muita paz.

Aproveitei minhas asas abertas para ir ao segundo andar. Chegando ao quarto Fairyland, onde voltava a "nevar" pétalas, me arrastei até o banheiro. Guardei minhas asas, entrando na banheira quente. Os olhos lacrimejavam e ardiam, deixando-me quase cega.

Na verdade, de início, tudo ardia.

Relaxada, tentava inspirar o vapor de eucalipto exalado pelas velas acesas ao redor da banheira. Fechei os olhos, lembrando-me das milhares de imagens da luta. As palavras de Arthur queimavam em meu interior.

Ansiava por aquele beijo.

Mas não podia ignorar o fato de ele ter me machucado.

Acreditava que Arthur fosse parte importante do meu destino. Ele era como um ímã. Não conseguia pensar em nenhuma outra maneira para descrever a atração que sentia. Só que agora me questionava sobre vários assuntos. Nunca pensei que seria atacada por ele. Por um homem que começava a amar.

Arthur parecia ter muitos conflitos dentro de si. Será que eu conseguiria aceitar isso? Tinha certeza de que nossos destinos estavam ligados. Até talvez nossas famílias pudessem ter sido conectadas. A comunidade mágica sempre foi pequena, e nossos pais foram seres mágicos importantes. Mas temia que o envolvimento com Arthur pudesse me fazer ainda mais mal. O erro dele foi que nunca deveria ter me ferido daquela maneira.

Nós não éramos como os humanos. Tínhamos sangue de cavaleiros em nossas veias, dos que lutavam em campos medievais. Na adrenalina, nossas questões importantes eram resolvidas nas batalhas.

Só que aquilo nunca foi uma batalha.

Ele havia ultrapassado o limite.

14

Apesar de exausta, não conseguia dormir, atormentada pela pergunta: o que Arthur queria comigo? Deitei na cama. Toda a alegria que senti no beijo desaparecera. Permanecia apenas a tristeza da briga.

Duas horas se passaram. Por causa da dor eu só havia cochilado. Levantei-me morrendo de fome, indo até a cozinha para achar alguma coisa para comer. Peguei um cacho de uvas, resolvendo andar pela casa. No final do corredor havia uma porta que vivia trancada. Sabia que dava para a sacada, mas mesmo de fora da casa não conseguia enxergá-la. Naquela madrugada a porta se encontrava aberta. Encostada, com um feixe de luz escapando por uma brecha.

Meus passos tinham um ritmo lento e disciplinado, e a respiração saía da minha boca em plumas brancas de vapor que voltavam agudas e frias como cacos de gelo. Ao entrar na sacada minha expressão ficou escancarada. O lugar parecia Paris.

Havia uma piscina repleta de luzes coloridas, enfeitando uma cascata artificial. Vários arbustos de flores também estavam enfeitados com essas lâmpadas, que me lembravam do Natal. Dois balanços brancos, como aqueles típicos de filmes, estavam ao centro. Existia também um caldeirão de ferro preto borbulhando um líquido roxo.

Sentado em um dos balanços se encontrava Arthur. Vestia calça e camisa brancas. Segurava uma garrafa de vinho ainda fechada, usava chinelos, e mostrou um olhar levemente intrigado quando entrei. Arthur serviu vinho em dois cálices, e depois se sentou, colocando os pés sobre um dos balanços.

– À loucura! – disse ele fazendo um brinde.

Sem muita opção acabei aceitando:

– À loucura!

28 DE OUTUBRO

15

O sol ergueu-se brilhante no céu com poucas nuvens. Tive de proteger os olhos recém-abertos. Cada vez que o vento gelado do outono roçava meu rosto, sentia o cítrico perfume das flores preenchendo as narinas. Sentia os raios solares em contato com minha pele, me deixando aquecida. O cobertor da noite anterior se encontrava jogado no chão, perto do balanço branco onde adormecemos. Ao meu lado, Arthur ainda dormia em sono profundo, pois nem se mexia. Ao observá-lo me senti tão feliz, tão livre e calma. Um sentimento estranho comparado ao inferno vivido nos últimos dias. Ainda tentaria entender o que tinha acontecido.

O tempo passava. Lento, muito lentamente. Sentia-me em uma montanha-russa. Conseguia ter amor, raiva, pena, orgulho e tristeza, tudo ao mesmo tempo. Tudo pela mesma pessoa.

Lembrava-me de como o achei charmoso com a taça de vinho na noite passada. Do quanto fiquei aliviada quando ofereceu o brinde à loucura, também da forma como finalmente dormimos abraçados. Agarradinhos. Com minha cabeça apoiada no peitoral definido. Ele não fez nada que pudesse me aborrecer, deixando-me triste ou perturbada. Tivemos a chance de conversar. Choramos de rir. Fomos confidentes, amigos e amantes. O Arthur da luta era passageiro. Ele me tratava de uma forma completamente diferente. Sendo todas as vezes doce comigo. Havia sido o único homem a declarar que me amava. Tirando Patrick, o menininho da praça. Mas ele não contava. Ou contava? Não sei. Pelo menos achava isso.

Arthur se voltou para mim a fim de dizer alguma coisa sobre o quanto a noite estava agradável, boa, um alívio aos últimos acontecimentos... Mas virou com uma expressão triste nos olhos. Que expressão era aquela?

Ele esperou chegar o fim da noite para realizar a transformação. Mais uma de suas transformações. Eu me lembrava do medo sentido repentinamente, como se meu coração tivesse sido arrancado com força do peito, enquanto lutava para imaginar o que eu havia feito de errado.

– Você se divertiu essa noite, Mel?

– Sim – respondi –, foi uma noite agradável. Talvez um pouco longa. – Afinal, tínhamos lutado até algumas horas atrás. Sentia dores como de uma guerreira após a luta. Confusa. Pensando na mistura de sentimentos existentes em meu coração por ele.

– Você gostou do vinho? – perguntou.

Aquiesci. Tinha gostado muito do vinho. Do gosto do álcool misturado com o doce das uvas e açúcar fermentado. Vinho? Será que eu fiz alguma careta ao tomar o vinho? Às vezes era desligada nesses assuntos. Sempre fui muito avoada em relação à etiqueta. Consegui evitar por pouco um arrepio de susto quando ele esticou o braço em minha direção e começou a acariciar meus cabelos.

– Não sei se com você está acontecendo isso, mas estou ficando preocupado – disse Arthur. Sua voz tinha um tom de desânimo.

– Preocupado? – indaguei. Tinham tantas coisas com quem ele, ou eu, poderia se preocupar.

– Com seu destino. Você tem uma missão na Terra. Quando cumpri-la terá de ir embora. Você teria coragem de me deixar?

Ele parecia perdido ao falar daquela maneira. Não havia motivos para ficar triste ou receoso. Não havia nada com o que se preocupar. Eu tinha uma missão, porém mesmo com tudo aquilo acontecendo, o amava. Muito. Nunca o deixaria. Acharíamos uma solução juntos. Precisava mostrar para ele que nada iria nos separar. Já ele não parecia ter certeza do nosso amor.

– Descobri sentimentos que acreditava não habitar mais em mim – disse olhando em seus olhos. – Descobri ser capaz de amar. O que está acontecendo com a gente é muito mais forte. Eu nunca te deixarei.

– Você viu a forma como te tratei, Mel. Ainda não estou curado do trauma de perder meus pais. Tenho medo de te perder por isso.

Vi a forma como ainda me olhava triste. Os olhos enchendo de lágrimas repentinas que eu não conseguia compreender, parecendo um copo sendo preenchido com água. Água de um rio algumas vezes calmo, outras violento.

– Arthur, você me foi enviado para juntos descobrirmos o que preciso fazer para ir até Fairyland. Estamos crescendo juntos. Não sou mais a mesma.

– Eu também não sou. Quero viver ao seu lado – disse. – Não quero te perder.

Tive esperança. O sentimento expandiu-se em minha alma como um balão, até a alegria ser quase tudo o que eu sentia. Eu me sentia bem por causa dele. Estava sorrindo por causa dele. Minha alma vibrava. Ele me amava. Queria ficar comigo. De vítima passei a me sentir heroína. Tinha conquistado o amor daquele homem e a imagem dele com o vinho nas mãos desapareceu.

Aproximei-me da beirada da sacada. Arthur acordou, se juntando a mim. Ficamos olhando para o jardim que ele tão caprichosamente cuidava. Eu ainda me sentia como uma mulher prestes a ser pedida em casamento. Esperançosa. Ao mesmo tempo com medo.

Era hora, para mim, de enfrentar a realidade. Tempo de ser adulta e responsável. Nunca fui boa nisso. Contudo, se eu parasse de procurar as respostas sobre meu destino, não iria deixar minha vida seguir em frente. Vida que queria compartilhar com Arthur.

– Reparei uma coisa. Você gosta de flores – comentou o rapaz de olhos esverdeados, observando a roseira.

– Fairyland é uma dimensão muito florida. Meu pai sempre fez questão de ter flores em casa, provavelmente para lembrá-lo de sua terra.

Arthur esboçou um sorriso jovem e despreocupado. Pelo menos seu humor voltava ao normal. Iria aproveitar então o dia para procurar um caminho a seguir, porque não aguentava mais essa pressão de "ter uma missão".

Enchia a paciência. Os humanos não tinham esse tipo de problema. Por que eu deveria ter? Só por que sou uma fada? Talvez por ser a princesa delas?

Enfim, aquilo me enchia.

E muito.

16

Decidimos sair de casa. Arthur queria me mostrar um lugar, mas, ao contrário do que fiz quando o levei à floresta, ele não me falou aonde iríamos. Queria fazer uma surpresa.

Seguimos pela rua, obrigando-nos a andar lentamente, sem correr como no dia da praça. Quando se corre, as pessoas reparam. Ficam se perguntando coisas, principalmente os vizinhos. Depois, viriam fazer perguntas. Arthur não gostava disso. Eu também não gostava. Discrição era essencial naquele momento. De acordo com o rapaz, tínhamos de nos misturar com as outras pessoas nas calçadas. Não fazendo nada para chamar a atenção ou indicar aonde íamos. Mas, enquanto me ordenava mentalmente para parecer "normal", mostrava-me o contrário, olhando curiosa para todos os lados. Respirava de forma agitada. O ar fazia ruídos estranhos. Altos. Nada muito discreto como o objetivo.

Caminhamos por cinco longos quarteirões até pararmos em frente a uma casa abandonada. Não a achava abandonada por estar destruída, com a grama para cortar ou suja, mas por ser uma casa de aparência sombria como as de filme de terror. As paredes eram cinzas, o telhado pontiagudo, com telhas negras. Tinha longas vidraças semelhantes a de casas onde supostamente aconteciam eventos incomuns, sem que se encontrasse uma causa física para eles. Tais eventos poderiam ser ruídos que faziam os pelos dos braços arrepiarem como os de um gato bravo, a movimentação de objetos, ou ainda alegações de aparições de vultos descritos como assombrações ou fantasmas. Arthur queria me levar para essa casa. Por quê?

O rapaz abriu o portão de ferro, que contornava o extenso terreno. Esse movimento fez um ruído alto, denunciando nossa entrada. Na fantasmagórica paisagem não havia vivalma, de modo que ninguém nos viu entrando como intrusos no terreno. Aquela era a única casa com portão na região. Talvez uma das únicas de todo o bairro. Ele pegou minha mão suada pelo nervosismo de estar curiosa, fez um sinal com o dedo para ficarmos em silêncio e me guiou até a gigantesca porta de entrada feita de uma madeira escura parecendo mogno. Ela possuía os mesmos símbolos da porta trancada na casa de Arthur. A mesma que havia tentado abrir. Aquela deveria ser a tal sede de sua mãe.

A casa não tinha qualquer sinal de arrombamento ou janelas quebradas. Arthur devia visitar a parte externa, mostrando para os assaltantes que havia alguém cuidando do lugar. Acho que ele não parecia cuidar do interior da mesma forma. Eu, pelo menos, não iria gostar de voltar ao lugar onde meus pais foram assassinados.

– Como deve ter percebido essa é a sede da W.I.C.C.A. – disse o rapaz ao chegar perto da porta.

– Desde quando está abandonada? – perguntei.

– Três anos já. Sou herdeiro desta casa. Desde a morte dos meus pais nunca tive coragem de entrar. Contratei um caseiro para deixá-la um pouco mais apresentável. Se ficasse abandonada as pessoas iriam invadir. Não posso deixar isso acontecer. Existem muitas coisas de valor no interior. Mas vejo que preciso contratar outro, pois esse velho está preguiçoso.

Arthur pediu para eu me afastar. Pegou uma varinha mágica escondida nas moitas perto da porta e em bom som disse:

– *W for the witches who exist in the world. I is the intelligence that they possess. C the courage in facing the danger. C is the cons-*

*cience in seeing the good and A for adore god, the goddess and all its creatures. Wicca is my life. Wicca is my home.**

Maravilhada, não consegui dizer uma palavra após o encantamento. Fiz um sinal com as mãos, parecendo o sinal da cruz feito pelos católicos, agradecendo por poder conhecer um lugar tão sagrado, porém fiquei intrigada. A porta da sede da W.I.C.C.A. era idêntica a da casa de Arthur. Fiquei pensando se aquele encantamento funcionaria para a outra. Como se tivesse lido meus pensamentos, Arthur disse:

– Sim! Esse encantamento abre a porta do escritório de minha mãe.

Entramos na casa encontrando a sala de recepção. Infelizmente toda destruída. Aquele era o local da briga. Havia abajures quebrados no chão, marcas negras de feitiços nas paredes, móveis quebrados e uma grossa camada de poeira em tudo. Preocupada com Arthur, tentei mostrar solidariedade segurando firme em sua mão. Não devia ser fácil lidar com uma situação como aquela. Fiquei honrada de poder ter sido a eleita a acompanhá-lo em um momento tão delicado.

Dentro da casa decidimos nos separar. Ele precisava de um momento a sós e respeitei. O interior da casa conseguia ser mais sombrio. Do lado de fora notei uma torre na construção. Se fosse visitá-la, precisava subir a escada de madeira para o segundo andar.

Mesmo me lembrando uma moradia de vampiro, a casa parecia ter sido muito bonita no passado, por causa das janelas com cortinas em vermelho vivo e dos móveis de madeira, talhados provavelmente pelos melhores carpinteiros de Londres por serem tão bonitos. Na escada em espiral havia quadros com imagens representando as várias faces da Deusa. Os vidros dos quadros estavam

---

* W para as bruxas que existem no mundo. I para a inteligência que elas tem. C para a coragem de encarar o perigo. C para a consciência de enxergar o bem e A por adorar o deus, os deuses e todas suas critaturas. Wicca é minha vida. Wicca é minha casa.

sujos de poeira. Por algum motivo as molduras douradas estavam bem limpas.

A primeira coisa que um visitante veria ao subir para o segundo andar era uma gárgula de pedra. Ela mais parecia um monstro alado. Os olhos redondos do bicho haviam sido substituídos por esmeraldas e na língua para fora, como se estivesse desafiando quem passasse por ali, havia um rubi cravado. A gárgula devia ser a mascote da sede. Mesmo levando um susto, não me detive. Queria conhecer o local.

Segui as instruções recebidas por Arthur antes de nos afastarmos. Entrei no cômodo dedicado aos fundadores. Vários retratos ocupavam as extensas paredes, também marcadas com magia. Não havia nada no ambiente. Apenas quadros e um tapete persa, que agora estava imundo. O importante era que magia e tempo não tinham afetado nenhum quadro.

Feitos de óleo sobre tela, eles davam a impressão de serem reais, chegavam a ser assustadores. Cada retrato era um *portrait* de um dos fundadores da W.I.C.C.A. Sempre com o mesmo fundo de tela, cor de moldura e placa de ouro com a legenda. As cores da pintura eram claras nos tons de pele. Escuras na vestimenta. O contraste ficava bonito. Um formigamento esquisito começava na minha mão, também uma palpitação no coração me deixando ansiosa. Além da ansiedade quanto aos quadros, tomei consciência de outro sentimento estranho. Um embrulho em meu estômago. Indigestão? Não. Era o choque de saber que alguma coisa ali era importante.

No primeiro retrato vi uma mulher de uns 30 anos de idade. Seus olhos verdes-musgo tinham um poder estranho. Não importava se eu mudasse de posição, eles pareciam sempre me seguir. Senti medo e também respeito por ela. Na posição do terceiro olho havia uma espécie de tatuagem. Precisamente um pentagrama. A mulher tinha uma expressão séria de feiticeira, longos cabelos escuros, a pele branca como a de um fantasma e a boca rosada em formato de coração. Li a inscrição feita na placa de ouro:

Diana Wales. Grã-mestra da fundação W.I.C.C.A.
A própria Deusa em uma de suas reencarnações.

Pela data, aquela deveria ser a avó de Arthur. Conforme passava pelos outros quadros, fui notando que cada fundador da sede vinha de uma raça mágica diferente. Rámalókë ho Taurë, a senhora de todos os elfos. Vikran Pyloo, mestre dos duendes. Pan Raschib, chefe dos gnomos. Haniel, representante dos anjos. Drácula, o supremo dos vampiros. Todos com o mesmo olhar penetrante do quadro de Diana.

O último me chamou a atenção. Ele tinha um brilho próprio, uma suavidade não existente nos outros. Pelo menos não tinha percebido isso. Via uma mulher com uma cascata de cabelos loiros quase platinados me encarando com olhos cor de violeta. Ela tinha um sorriso doce, as orelhas pontudas e covinhas nas bochechas. A fisionomia me parecia familiar. Antes de ler a placa, Arthur, visivelmente assustado, entrou no local dizendo:

– Agora sim entendi. Tudo se encaixa. Você não me era estranha – e após uma longa pausa disse: – Mel, conheça sua avó!

Foi como um soco dado por um pugilista no rosto. Devo ter ficado horas olhando para o nada de tão assustada. Ele tinha mesmo falado "minha avó"?

A inscrição no quadro dizia: "Parikhan das Fadas – Senhora de todas elas."

Recuperada do susto, virei-me para Arthur. Ele também observava o quadro. Se ele tinha passado a infância naquela sede, já deveria ter visto este retrato antes. Como não havia me contado?

– Quando era pequeno – começou o rapaz – costumava ficar na frente deste quadro por horas. Minha mãe brincava que eu precisava de uma namorada, pois parecia um apaixonado admirando o retrato de sua avó. Você a conheceu?

Respondi que não. Para mim, ela sempre esteve morta. Fui descobrir que ela ainda era viva no dia do falecimento de meu pai. Acabou sendo o mesmo dia do falecimento dela. A magia para meu nascimento cobrava sua parte no acordo feito.

Continuamos a olhar o retrato. Minha avó era linda. Então se Arthur namorava o quadro dela, algo estranho acontecia, o que me fazia duvidar de seu amor por mim.

Poucos minutos depois, pelo modo como se mexeu, Arthur teve um estalo. Aqueles momentos em que lembramos algo crucial e nosso corpo treme como se tivesse levado um choque, percebendo o quanto fomos estúpidos por não termos percebido a resposta na frente do nariz. Ao encará-lo, não via apenas choque em seu olhar. Não era apenas raiva. Ele olhava como se aquele quadro fosse a chave para solucionar todos os nossos problemas. Ficou agitado, correndo para a escada que levava ao terceiro andar, o da torre vista do lado de fora. Gritou para eu acompanhá-lo.

Havia uma única porta no local com o nome "Arthur Wales" cravado. Aquele deveria ser o quarto dele na sede, pois a maioria das sedes mágicas possuíam quartos para os membros.

– Onde coloquei minha varinha? – Arthur se perguntava, um pouco estabanado, deixando as coisas ao redor caírem no chão.

O garoto vasculhava todo o pequeno hall próximo da porta. Pelo visto, precisava encontrar uma varinha específica para abri-la. Percebendo que ficava nervoso, temi pela minha segurança. Ficaria por toda minha vida com medo de ele se alterar? Decidi ajudá-lo a procurar a bendita varinha.

Primeiro analisei a porta, vendo os mínimos detalhes desenhados na madeira. Existiam vários símbolos, principalmente círculos desenhados. Isso foi o que chamou a minha atenção. No lado esquerdo um pequeno círculo dava a impressão de estar sobressalente. Via um pedacinho para fora. Arthur, ainda desesperado, procurava a varinha em um vaso de flor. Nessa hora, agradeci por ter unhas compridas e comecei a cutucar o círculo saliente. Após algumas cutucadas, um pedaço de madeira polida comprida saltou. Consegui achar a varinha mágica.

Arthur levou a mão até a cabeça, coçando o cabelo como se estivesse envergonhado. Com a varinha em mãos poderia abrir a porta.

– Como pude me esquecer disso? – comentou mais aliviado. – Espera. Preciso me lembrar dos versos.

A atmosfera, antes agitada pelo humor de Arthur, mudou drasticamente. Ele respirava com calma, as pernas não se moviam mais. Parecia uma pessoa centrada. Um verdadeiro bruxo. Como se tivesse entrado em um transe profundo, o rapaz começou o encantamento com uma voz lenta, cantando as palavras pausadamente como um poeta recitando Shakespeare.

*– A for the altar that brought the baby. R for the root that gave us the fruit. T is the transformation of this fruit in a great sorcerer. H for the good human being that it will always remember his love. U is the union that he will have in the future and R are the races that will join them. They will save world.**

A porta se abriu num feito de mágica. Meu coração deu um salto quando percebi o que me esperava do outro lado. Nunca em milhares de anos imaginaria isso. Se estava confusa com toda aquela excursão pela sede da W.I.C.C.A., nesse momento confusão era pouco para descrever meus sentimentos selvagens.

---

* A para o altar que trouxe o bebê. R para a raiz que nos deu a fruta. T é a transformação dessa fruta em um bom feiticeiro. H para o bom ser humano que sempre lembrará do seu amor. U é a união que ele terá no futuro e R são as raças que irão se unir a ele. Eles salvarão o mundo.

Existiam cavaletes de madeira segurando telas pintadas nas mais diversas técnicas. Desde tinta acrílica até lápis de cor. Todas as telas tinham o mesmo desenho.

Uma escultura, ainda não finalizada, estava no meio do espaço. Devia ter uns dois metros de altura, feita de mármore branco, retratando a mesma imagem dos desenhos.

Todos eles tinham uma fada.

Em todos ela era idêntica a mim.

Tive vontade de gritar como uma maluca. Talvez de surtar. Dessa vez sendo eu a pessoa atacando alguém. Impedi-me pelo fato de ele parecer mais surpreso do que eu. A boca aberta e os olhos esbugalhados mostravam o enorme ponto de interrogação em sua mente. O importante era entender por que eu estava desenhada por todos os lados. Mais ainda por que em uma sala na sede da bruxa mais importante de toda a Inglaterra.

Arthur balbuciava algumas palavras. Nada fazia sentido. Não conseguia entender o que dizia, enquanto andava de um lado para o outro pelo quarto. Pegava vários desenhos analisando os detalhes. A fada dos papéis, quadros, esculturas e retratos era muito parecida comigo. Chegava a ficar arrepiada. Já Arthur tinha a aparência cada vez mais esverdeada como se fosse vomitar de nervoso. Ao vê-lo desconsolado, o melhor a fazer seria sentar e conversar. Alguma hora ele iria entender o porquê daquele quarto, dos desenhos, da minha entrada em sua vida.

Sabia que aquilo aconteceria. Ao ver os desenhos, previ as lágrimas e a tormenta do rapaz. Seu pesadelo se tornava realidade. Ele tinha mais do que mágoa no coração. Tinha bloqueado a mente para não se lembrar de fatos importantes do seu passado. Fiquei com o coração nas mãos. Queria confortá-lo. Ele não precisava ficar assim. Tive vontade de matá-lo ao ver os desenhos, mas pela sua reação ele não tinha me enganado.

Grossas lágrimas ainda escorriam por seu rosto quando resolvi abraçá-lo. Envolvi seu corpo com os braços em um ato de carinho. Ele chorava pelos pais, pelos amigos feiticeiros, por mim, pela sua memória, por si mesmo, com grandes, abundantes e fortes soluços. Eles faziam suas costelas doerem a cada inspiração. Percebi pelo modo com que franzia as sobrancelhas, segurando a lateral da barriga.

Não me preocupava se ele se lembraria do acontecido, nem se brigaríamos pelo resto de nossas vidas. O que me preocupava era se ele ficaria triste demais para voltar a falar. Apenas queria ouvi-lo. Ouvir a voz sensual e sentir os braços fortes me envolvendo. Não o contrário. Ele chorava como se meses de angústia acumulada estivessem se desmoronando todos de uma vez. Tinha pena, pois sabia que estavam

– Minha memória estava trancada – disse finalmente entre soluços ritmados.

– Arthur, tente se explicar melhor – pedi, paciente, não entendendo a história de memória trancada. – Estou tão assustada quanto você.

Ele respirava fundo, puxando uma grande quantidade de ar, soltando lentamente para ver se controlava o choro. Eu não estava acostumada a ver homem chorar. Ele não devia estar acostumado a chorar.

– Sofri muito com a morte de meus pais. A forma que usei para não enlouquecer foi apagar da minha memória tudo o que envolvia este lugar. Sabia que não era normal. Você mesma viu meus ataques, como na praça quando eu corria desesperado e na noite de meu ataque sem motivo. Não sabia que a situação era tão grave.

– Você nunca procurou alguém quando sentia esse impulso de raiva ou quando tinha flashes dessas memórias guardadas? – perguntei.

– Não. Eu não gosto de ficar vulnerável. Já estou me sentindo um idiota por estar chorando na sua frente todos os dias. Eu simplesmente apaguei da memória certos acontecimentos. Um deles, o fato de sonhar com uma menina, uma fada, por diversos anos até me tornar obcecado por ela.

Aquilo foi como um banho de água fria em dia de inverno. Meu corpo todo gelou, o estômago afundou e senti que iria desmaiar. Ele sonhava com uma fada por anos? Eu tinha entendido? Era isso mesmo? Não sabia se eu que era a louca ou ele. Se existia um momento da verdade, o meu era esse.

– Calma! Deixa-me entender. Você sonhava comigo? – perguntei.

– Sim! Não tinha ideia de que a tal fada era você. Começou quando vi o quadro da sua avó. Senti como se meu futuro estivesse preenchido.

– Você sabe o que tudo isso significa?

Quem estava agoniada, naquele momento, era eu.

– Significa que você é a menina dos meus sonhos, Mel. Nosso futuro é ficarmos juntos. O verso que recitei falava sobre isso. Sobre nossa união. Falava sobre o quanto ela é importante.

As palavras de Arthur começavam a me assustar. Podia confiar naquilo? Nossa união era prevista há muitos anos?

– Melhor irmos para sua casa. Não há mais nada a fazer aqui – disse, evitando a conversa.

Precisava ficar um tempo afastada para entender todas aquelas maluquices. Ao descer a escada virei para encarar o retrato de minha avó. Naquele instante tive a impressão de ela sorrir para mim.

17

Pouco tempo depois, chegamos à casa de Arthur. O rapaz, ainda abalado, se trancou no quarto. Devia ter ficado chateado por eu não mostrar empolgação com o fato de a nossa união ser importante. Na verdade, até eu estava confusa. Aquilo tinha me surpreendido.

Precisava tomar um banho, mas a preguiça de preparar a banheira me tirava a vontade. Então decidi ir até a sacada intitulada de PARIS. Tirei minhas roupas ficando apenas com uma lingerie preta. Em seguida mergulhei na piscina para arejar a cabeça. O contato com a água fria foi um grande alívio. Eu parecia uma panela fervendo que precisava de uma torneira para se esfriar. Após algumas braçadas, descansei encostada na beira da piscina.

Meus pensamentos giravam como um pião, ideias fervilhavam em minha mente. Queria paz por uns segundos. Mergulhei, buscando-a no fundo da piscina. Talvez no silêncio das águas meus pensamentos pudessem cessar. A água me dava uma sensação de relaxamento. Desprovida de sons, permaneci na posição até o ar existente em meus pulmões acabar para assim subir à superfície. O problema foi quando quis subir. Algo me impedia. A água parecia cimento, não me permitindo dar impulso. A falta de ar foi me deixando tonta, fazendo meus sentidos ficarem confusos. Abri minha boca involuntariamente. Aquilo piorou a situação. Tinha vontade de tossir. Entrei em choque. Não tinha forças para me debater. Ao deixar o cansaço vencer, fechei os olhos e tive uma visão.

Via-me completamente molhada repetindo as frases de Arthur perante a porta do escritório trancado. Notei que a visão não era uma qualquer. Aquilo era uma visão do futuro.

O peso nos ombros afrouxou. Abri os olhos, ao mesmo tempo as asas. Subi em uma velocidade incrível, como a de um jato militar. Caí esbaforida na superfície, na beira da piscina, tentando puxar o máximo de ar possível para os pulmões. Tentei levantar, mas sem ar era difícil ter forças. Logo a respiração voltou ao normal. Em seguida, fiz minhas asas me levarem ao corredor do escritório da mãe de Arthur. Molhei a casa inteira no caminho. Mas não me importava. A visão não tinha sido à toa.

No corredor vi pela primeira vez um porta-guarda-chuva. A varinha para acionar o encantamento só podia estar lá. Despejei tudo no chão na esperança de achá-la. Foi inútil. Desesperada, peguei um dos guarda-chuvas, batendo-o com força na parede em um momento de fúria. Parei para respirar tentando enxergar com clareza o local. O guarda-chuva quebrado mostrava uma parte danificada, na cor de mogno. Mogno significava madeira polida. A varinha estava dentro do guarda-chuva.

– *W for the witches who exist in the world. I is the intelligence that they possess. C the courage in facing the danger. C is the conscience in seeing the good and A for adore god, the goddess and all its creatures. Wicca is my life. Wicca is my home.*

A porta abriu de mansinho. Uma luz branca fantasmagórica surgiu. Tive receio de entrar, mas era melhor seguir minha intuição.

Hoje descobriria tudo.

Ou quase tudo.

Quando decidi entrar, empurrei a porta. A luz surgia no fundo do escritório. Levei um susto ao ver que de fato a luz saía do corpo de uma mulher plasmada à minha frente, me olhando como se aquela cena fosse a mais normal possível. A vontade era de gritar.

Ou seria correr? Os traços físicos da mulher me lembravam Diana. Também Arthur. O mesmo tom de pele, o mesmo cabelo escuro bagunçado. Aquele ser fantasmagórico deveria ser a mãe do rapaz.

– Vai ficar muda para sempre, Melanie Aine? – perguntou em uma voz distante, metálica, o ser indefinido à minha frente.

Espantada, perguntei como sabia meu nome e o que exatamente era. Sabia sobre fantasmas. Não acreditava que um ser tão evoluído como a mãe de Arthur poderia ter se tornado um. Apenas os não evoluídos vagavam pela Terra.

– Sei seu nome porque conheci seu pai na minha adolescência. Não sou um fantasma. Fique tranquila. Sou uma espécie de holograma projetado para te encontrar exatamente hoje.

Como fiquei confusa. Holograma? Projetada para mim? A mãe de Arthur conhecia meu pai? Nada daquilo fazia sentido. Ela explicou que era um holograma produzido por magia para um dia me encontrar, pois tinha um recado para mim. O modo de falar, dando pequenos sorrisos na pausa das falas, me lembrava muito Arthur.

– Você conhecia meu pai? – perguntei.

O sorriso desapareceu, dando uma expressão séria ao seu rosto.

– Seu pai foi meu primeiro amor, querida.

Mais um tombo. Pelo menos essa era a sensação. O que estava acontecendo com meu mundo? Como assim a mãe de Arthur era apaixonada pelo meu pai? Justo o meu pai.

Meus pais nunca comentaram sobre suas amizades, muito menos sobre outros relacionamentos. Saber que a mãe de Arthur amava meu pai me dava vontade de bater com a cabeça na parede. Várias vezes. Várias, mesmo.

Desconfortável com a situação, esperei ela voltar a falar.

– Com cerca de 19 anos vi sua avó na sede da W.I.C.C.A. para uma reunião com a minha mãe. Ela era cofundadora da organização como você percebeu no retrato. Porém, nunca a tinha visto e nesse dia ela foi para discutir um assunto com minha mãe sobre seu filho. No caso seu pai.

Não me atrevi a falar. Queria que ela me contasse mais sobre esse passado.

– Seu pai tinha cerca de 18 anos. Um príncipe das fadas completamente apaixonado por uma humana. Ela nem era uma bruxa. Uma mulher normal. Ainda para piorar estéril. Sua avó estava desesperada, pois como você já sabe seu pai tinha uma doença séria. Ele precisava de um herdeiro.

– E você se apaixonou pelo meu pai mesmo sabendo que ele amava minha mãe?

– Infelizmente nós não mandamos no coração. Sua avó na época tentava juntar forças para realizar um feitiço poderoso. O feitiço que lhe permitiu nascer. Quando vi seu pai pela primeira vez me senti a menina mais sortuda. Derrick era de uma beleza sobrenatural. Ninguém era mais encantador. Os cabelos loiros, compridos, jogados nos ombros, davam a impressão de ser um anjo. Parecia um guerreiro medieval, ao mesmo tempo um elfo. Os olhos não tinham a tonalidade violeta como os de sua avó. Tinha o acobreado de seu avô.

A mãe de Arthur me disse que ainda conseguia ver meu pai a sua frente e me contou sobre o primeiro encontro deles:

"– Pelos olhos verdes e pentagrama na testa você deve ser Veronika, filha de Diana. Acertei? – perguntou Derrick.

"Ela consentiu tímida. Não tinha se recuperado da beleza do rapaz. Já havia estado na presença de pessoas bonitas, de elfos e fadas, mas a forma como ele se mexia, os movimentos dos braços fortes, o sorriso debochado com dentes radiantes era incrível. Ele, percebendo que ela não falava, resolveu continuar:

"– Sou Derrick, filho de Parikhan das Fadas. Se preferir me chame de Deck!

"– Você é o herdeiro que quer se casar com uma humana sem poderes? – disse ela de supetão, ruborizando em seguida.

"Ele achou graça da pergunta. A resposta foi uma alta gargalhada.

"– Sim! Sou o traste. Felizmente me apaixonei pela humana mais doce desta dimensão.

"Veronika não ficou feliz com o comentário. Um sentimento dentro dela crescia. Acreditava ser ciúmes. Como um rapaz crescido entre os grandes poderia amar alguém mais do que seu reino? Prestava atenção em todas as palavras, porém sempre queria retrucá-las. Não entendo o motivo.

"– Beleza conta mais na hora de escolher a seguidora do trono de sua família?

"Ela dava a impressão de ser mais madura. Mesmo sendo grossa e ríspida, não quebrava o bom humor dele. O rapaz não parecia ter uma doença tão grave. Principalmente pelo seu modo de sorrir.

"– Você já se apaixonou algum dia? – ele perguntou.

"Veronika voltou a ficar tímida. Mal o conhecia e ele já queria detalhes íntimos da sua vida. Mas ele conseguia.

"– Apaixonar, não sei. Mas, sim, escolhi um bom candidato para comandar minha linhagem.

"– Quantos anos você tem?

"– Dezenove! – disse ríspida.

"– Você é muito jovem, bruxinha! Pare de se preocupar. Se entregue à vida, mergulhe de cabeça na paixão. Somos seres abençoados pelos criadores. Eles nos deram a vida para ser vivida da melhor forma. Da forma mais feliz. Pare de se fixar às regras. Viva a sua vida com mais prazer."

Era assim que ela o via. Um rapaz otimista, bonito, que gostava de pregar o amor e a vida. Um pouco rebelde, contudo muito centrado para sua idade. Um homem apaixonado. Completamente envolvido pela paixão.

– Um homem como seu pai eu jamais encontrei – completou Veronika para mim.

– Mas e seu marido, pai de Arthur?

– Ele foi uma escolha ética, não sentimental. Mel, você precisa entender que seu pai era um homem livre, desprendido de tabus, podia se dar ao luxo de cometer essas loucuras. Eu era uma menina reprimida, proibida de ter escolhas próprias, tendo todas as vistas voltadas para mim.

– Você chegou a amar seu marido? – perguntei.

Vi o holograma enxugar uma lágrima que mais parecia um pingo de luz.

– Amei demais seu pai, Melanie. Depois daquele dia nos encontramos várias vezes. Mostrei ser uma amiga confiável, assim podia pelo menos ficar mais perto dele. Porém, engravidei de Hércules, me casando às pressas. Logo em seguida o feitiço de sua avó funcionou e seus pais se casaram. Sofri por anos. Fiz de Arthur minha fortaleza. Comecei a amar meu marido, mas nada como o amor por Deck.

Sentei no chão. Ainda estava molhada por causa da piscina. Uma poça d'água se formou embaixo de mim. Eu não ligava. Chocada com toda a história, senti um calafrio percorrer a espinha e os pelos dos braços se arrepiaram. Muita informação recebida de uma só vez.

Eu tinha entendido certo? A mãe de Arthur amou meu pai. Quase desprezou o marido por causa disso. Teve um filho. Hoje sou loucamente apaixonada por ele. Isso me cheirava a encrenca. Era estranho demais.

O holograma de Veronika sentou à minha frente.

– Quer saber por que encontrou meu filho?

Aquiesci. A única coisa que podia fazer.

– Quatro anos antes de seu pai morrer nos encontramos em um restaurante, escondidos de sua mãe e do meu marido. Fique tranquila. Seu pai sempre foi um homem fiel. No restaurante, Derrick desabafou comigo sobre seu futuro. O quanto sabia que você iria sofrer após ele cumprir sua missão. Ele te amava muito, sabia?

Ela ainda sentia o cheiro da comida do prato a sua frente misturada com a fragrância cítrica da colônia do meu pai. Se lembra como se fosse hoje daquela conversa:

"– Vê! Lembra-se de quando me confessou seu amor anos atrás? – perguntou Derrick.

"– Me lembro! Não sou idiota!

"– Pois bem. Algo interferiu em nosso feitiço. O sangue de sua mãe estava nele. Ela ajudou minha mãe em todo o processo. Estive pensando muito nos últimos dias. Seus sentimentos por mim acabaram sendo envolvidos na magia. Ontem minha mãe me chamou a Fairyland para conversar sobre isso.

"– Pelos Deuses, você está me deixando preocupada! – disse Veronika.

"– Seu filho Arthur herdou seus sentimentos através do feitiço. Ninguém sabe ainda como isso aconteceu. Acredito que seja porque você estava grávida quando o feitiço foi realizado. Por isso ele tem agido de modo estranho. Ele está apaixonado pela minha filha, Veronika.

"– Meu menino sempre teve obsessão por fadas. Acreditava ser por causa das histórias que eu contava. Ele nunca viu sua filha. Meu Deus! É por isso que ele está assim?

"– Infelizmente – disse Derrick. – E você não vai acreditar. Minha mãe teve uma visão. Após minha morte Mel irá procurar uma pessoa para ajudá-la a entender sua missão. Essa pessoa será Arthur."

O cheiro cítrico do meu perfume trouxe Veronika de volta de suas lembranças.

– Arthur não me ama de verdade? – questionei desesperada.

– Querida, longe disso! Tudo começou com a ligação de nossas famílias. Mas meu filho realmente te ama, Mel. Ele sempre amou. Se você também o ama, demonstre esse sentimento. Lute pelas suas vontades. Hoje vim te dar um recado: Aproveite até o último minuto a sua vida. Ame como nunca amou.

Veronika ajoelhou-se na minha frente, pois agora já estava jogada em uma cadeira sem entender toda história e me deu um beijo na testa, mais parecendo um sopro de vento. Antes de desaparecer disse:

– Melanie Aine é um nome muito bonito! Espero que minha sugestão tenha agradado.

Ela me deu uma piscadela, pedindo para não contar nada a Arthur. Em seguida desapareceu. Como em um passe de mágica.

Eram cerca de dez horas da noite quando dei duas batidas secas, decididas, na porta do maior quarto da mansão Wales, chamado HEAVEN.

Arthur parecia cansado, recém-saído do banho, com os cabelos molhados e uma toalha envolvendo a cintura. Somente aquilo no corpo. Ele levou um susto ao me ver. Não sabia se era porque não me esperava ou se a camisola vermelha de rendas grudada ao meu corpo chamava atenção. Oferecendo uma garrafa de vinho perguntei:

– Nesse céu pediram um anjo?

29 DE OUTUBRO

18

Havia um tipo de beleza no ato de observar uma pessoa dormindo. Olhos um pouco rasgados e lábios carnudos era o que eu via ao acordar com a luz forte do sol na janela esquecida aberta. O rapaz ao meu lado tinha a pele sedosa, traços simétricos e milhares de outros detalhes que podiam ser minuciosamente observados. Como Arthur era lindo. A noite romântica tinha sido mágica como o primeiro dia que se vê o mar. Como no primeiro beijo ou a primeira vez que se vê um castelo como o de Fairyland. Minhas pernas ainda tremiam, a boca sentia a pressão dos lábios que a tinha beijado por toda a noite. O corpo estava suado como se fizesse 40ºC. Não sabia se era do cobertor que escondia meu corpo nu ou se era do calor que o homem observado me transmitia.

Naquela noite havia me tornado, enfim, mulher.

Agora meus olhos estavam totalmente acostumados ao novo dia. Em poucos segundos achei minha camisola jogada no chão. Ele, sem notar que eu estava acordada, puxou a coberta para a altura do queixo, e eu ouvi o ruído de sua respiração profunda. Continuei me vestindo, puxando a calcinha perdida do meio do lençol, até que em um movimento repentino ele abriu os olhos lentamente. Não sabia como iria agir comigo após nossa noite de amor, mas queria descobrir.

A primeira coisa que Arthur fez ao me ver foi sorrir. Aquele sorriso que fazia minhas pernas parecerem gelatinas. Ele sentou e me agarrou pela cintura derrubando-me na cama. Não queria me deixar sair de lá. Ficamos algum tempo nos beijando. A língua quente invadia minha boca com um gosto de pasta de dente de hortelã que não entendia de onde vinha, já que tínhamos acabado de acordar. O movimento do beijo começou suave, mas logo se tornou mais vigoroso. Tive que afastá-lo, delicadamente, senão a noite passada iria se repetir. Por mais apaixonada que estivesse não podia passar o dia inteiro na cama. Tínhamos um longo dia pela frente e, mesmo com o encontro do holograma de Veronika, não podia esquecer as responsabilidades. Apesar de querer ficar para sempre naquele quarto, sentia que minha missão estava cada vez mais próxima. As recentes informações me davam esperança de entender um pouco minha vida.

Quando eram quase duas horas da tarde, Arthur me chamou no ESCRITÓRIO – IRLANDA. Nas mãos havia um envelope preto com o detalhe de uma abóbora saliente. Sentei-me no canto da mesa em que Arthur trabalhava. Ele abriu o envelope e dele tirou um pergaminho. O rapaz leu para mim em voz alta:

> *Queridos bruxos(as) e criaturas mágicas,*
>
> *Exatamente às 21h do dia 30 de outubro irá acontecer em nosso grande e magnífico salão de festas a nossa confraternização de Samhain (também conhecida como o Dia das almas ou Dia das Bruxas).*
>
> *Como todos sabem, essa celebração é completamente fechada. Qualquer penetra que tiver a intenção de entrar será posto para fora e terá a memória alterada.*
>
> *Tudo isso para manter nossas identidades em sigilo e para podermos comemorar esse dia tão importante sem transtornos.*
>
> *Então esperamos todos os nossos amigos de sempre em nossa mágica comemoração. É claro que uma confirmação é sempre muito bem-vinda, por isso, esperamos a sua até dia 29.*

Grave bem todas as informações deste convite, pois ele se autodestruirá após sua leitura.

Grato,

Mister Pompílio Glasvack

Ministro das Relações de Seres Mágicos

O som da explosão que veio do papel me fez pular de volta ao chão. Quase tropecei na cadeira de Arthur e desabei de joelhos no duro carpete de sisal.

– Uau! Impressionante – disse recuperada do susto. – Meus pais me enganavam direitinho. Todos os Dias das bruxas eles costumavam sair de casa. Inventavam várias desculpas absurdas. Eu achava que era o dia de eles namorarem, mas na época nem notei o verdadeiro motivo. Como funciona essa festa?

– Essa é uma festa mais para adultos, por isso fui somente duas vezes com meus pais e outra vez sozinho, após me recuperar do choque inicial. O salão de festas sobre qual eles falam no convite é o famoso salão do Palácio de Buckingham. A rainha adora esse tipo de evento mágico. Como ela sabe sobre nossa comunidade, nos deixa todos os anos organizar a festa lá. Claro que sem a imprensa dos humanos saber.

Curiosa, queria saber mais sobre a tal festa. Nunca fui muito de ir a confraternizações. No máximo alguma do colégio. Agora um evento mágico parecia interessante.

– Mas o que acontece em um baile desses? O que eles usam?

– Vejo que a curiosidade matou o gato – brincou Arthur. – Nesse baile você vê todas as diferentes criaturas nas roupas de gala mais extravagantes. Há rituais e feitiços. Eles costumam falar sobre como estão seus povos. Esses tipos de assuntos políticos.

Enquanto Arthur contava, lembrei-me de quando ele disse não acreditar em fadas. Provavelmente por sua memória ter ficado bloqueada. Ele tinha apagado as fadas da mente, mas agora que a havia recuperado, poderia se lembrar de ter visto alguma no baile.

O rapaz levantou jogando as cinzas do convite no lixo. Animado, me deu um grande e estalado beijo e perguntou:

– Vai querer ir à festa? Eu faço o que você quiser, princesa.

Aquiesci mostrando-me animada. Sorria de orelha a orelha. Iria conhecer as outras criaturas mágicas. Estava animada com isso.

– Então vá se arrumar. Hoje vamos às compras!

Compras? Como assim? O importante era que ele queria ir a uma festa da sociedade mágica comigo. Iria me apresentar como sua mulher. Pelo menos era o que eu achava. Não conseguia mais controlar minha ansiedade. Estava muito feliz. Então iríamos às compras!

19

Do lado de fora, observava as nuvens carregadas finalmente tomando o céu por completo. Sentia-me bem. Talvez fosse ruim chover como de costume em Londres, principalmente no outono, mas qualquer coisa era melhor do que mais um dia com o sol ardendo os olhos. Um dia de sol era bonito, mas o céu cinzento combinava mais comigo. Não por ser triste, ao contrário, me sentia muito feliz, mas por ser misterioso.

A rua onde andávamos se estendia por uma grande parte das zonas um e dois, serpenteando como uma cobra negra por entre as casas e monumentos históricos deslumbrantes que turistas paravam para tirar fotos.

Não tinha a menor ideia de onde iríamos comprar nossas roupas para o baile. Arthur parecia saber o local perfeito. Estava empolgado, andando comigo de mãos dadas e sempre me dando um leve beijo nos lábios. O evento parecia ter trazido boas recordações a ele.

Chegamos a uma parte da cidade que eu conhecia. Aquele era o bairro de Camden Town, que abrigava um dos maiores comércios de rua da Inglaterra. Por mais que o bairro fosse frequentado por pessoas alternativas, descoladas, com aparência bizarra ou algo do tipo, era possível achar uma roupa de gala por lá.

– Que tipo de loja procuramos? – perguntei.

– Conheço uma senhora que é uma das melhores costureiras que já vi. Ela também é uma bruxa e costuma fazer vestidos especiais para ocasiões como esta. Temos que encontrá-la aqui no mercado para nos levar a sua loja.

– Não podemos ir direto para lá?

– Infelizmente não. Esqueci de te falar que ela é louca de pedra. Só atende pessoas que diz serem "criaturas boas". Muda-se sempre de local para afastar os "maus elementos". Mas é a melhor costureira mágica que existe.

Andamos pelas ruas de Camden Town onde tudo era diferente e interessante. As lojas possuíam artigos e roupas para punks, góticos e afins. Muitas delas tendo seu interior completamente negro, com pilhas de roupas pretas e correntes para todos os lados. O exterior das lojas era o que mais chamava atenção. Os donos pintavam dragões, escorpiões, sapatos, caveiras e diversas imagens para atrair o público com cores vibrantes contrastando com os interiores. Havia réplicas de chapéus gigantes, robôs, flores e até mesmo pés pendurados nas paredes. O som de risos e música underground vinha de todos os lados. No mercado, o cheiro de comida era forte, uma mistura de pizza com comida indiana. Lá as lojas deixavam de ser tão sombrias, mas ainda mantinham o toque excêntrico de Camden. No final, acabei pensando: Gostava de Camden. Mas ainda não tínhamos achado a bruxa costureira.

Quase no final de um dos corredores do mercado, avistamos uma velhinha corcunda de cabelos ruivos ralos e boca enrugada, provavelmente de tanto se aborrecer com os "maus elementos". Seu longo chapéu preto de bruxa chamava atenção, mas nem tanto, já que para um local como aquele isso parecia normal. Estava sentada em um trono de metal escuro, segurando um cajado de madeira com uma pedra turquesa em cima. Em qualquer outro lugar seria considerada louca ou estranha.

Não em Camden.

– Madame Vlaskavovish? Lembra-se de mim?

A senhora riu do comentário, mostrando os poucos dentes que ainda restavam em sua boca.

– Filho de bruxos como seus pais é impossível esquecer.

Notei que um dos dentes era de ouro.

– O mesmo digo a você, senhorita das fadas – complementou a bruxa.

– A senhora sabe quem eu sou?

– Claro que sei! A roupa que está usando, por exemplo, é uma parceria minha com uma fada estilista de sua dimensão. Criei a maioria de suas roupas, querida! Derrick sempre vinha me visitar. Amava seu pai. Ele era muito engraçado. Um bom espírito. Se não fosse casado, teria o roubado para mim.

A mulher deu uma risada histérica fazendo as pessoas ao nosso lado olharem curiosas. Madame Vlaskavovish parecia não ligar. Antes que pudéssemos dizer mais alguma coisa, ela pegou nossas mãos e andamos para fora do mercado.

Por quase trinta minutos caminhamos pelas ruas do bairro, chegando a um templo maçônico em uma rua sem saída. Aquele devia ser o local onde ela trabalhava. Seria lá que encontraria meu vestido para a festa?

– Nós podemos entrar aí? – perguntei, não sabendo se permitiam a entrada de mulheres no templo.

– Claro! Os rapazes são uns amores. Não ligam.

Fomos aos fundos do lugar, onde uma tenda preta havia sido montada e vários vestidos de baile estavam expostos pendurados em cabides dourados. A porta de um chalezinho ao lado da tenda estava com o nome da senhora desenhado em letras garrafais. Deveria ser onde as pessoas provavam as roupas.

– Os meninos foram muito gentis. Além de me emprestarem o espaço, me ajudaram a montar minha lojinha. Então quem vai começar primeiro? – questionou a senhora.

– Comece com Arthur – disse. – Vou espiar alguns desses modelos.

– Maravilha! Os vestidos estão no lado direito. Os sapatos e acessórios estão à frente. Venha, Arthurzinho querido, temos que medi-lo novamente.

Precisava ficar um pouco sozinha com meus pensamentos para achar o vestido perfeito. Minha cabeça girava com todas as coisas que estava aprendendo. Também com tudo com que lidava. Não estava sendo fácil. O bom era que a senhora parecia muito talentosa. Esperava conseguir um vestido bonito. Existiam diversos ali e Arthur dizia que ela era uma das melhores no ramo. Devia confiar. Agora era só esperar.

As araras de roupas haviam sido organizadas de uma forma que facilitava a visualização de todos os vestidos. Aquelas peças deviam ser feitas com muita atenção, pois os detalhes eram muito delicados. Encantei-me com os vários trajes de gala expostos. Pareciam prontos para irem ao tapete vermelho do Oscar. O objetivo era encontrar o que ficasse melhor em mim.

Fiquei procurando durante alguns minutos, mas, por algum motivo, mesmo todos sendo lindos, não conseguia me sentir confortável. Andando pelo espaço da tenda percebi que em um canto mais reservado havia um manequim com um vestido vermelho que me chamou atenção. Foi como se o momento parasse e eu ouvisse anjos cantarem. Ele não tinha mangas, o busto era justo como um *corset*, desenhado com fios prateados, mas as costas eram abertas. Perfeito para minhas asas. A saia era comprida, mas sem cauda. Tinha certo volume, parecendo um vestido medieval daqueles que se vê em filmes. Todos os acessórios que combinavam com ele estavam espalhados em uma mesa ao lado do manequim, como os lindos brincos de rubi que agora segurava. Havia sapatos vermelhos de salto alto e um chapéu de bruxa com abas largas dando um toque antigo ao traje. O que ainda conseguiu me chamar mais atenção, entretanto, foi o colar prateado sob uma almofada vermelha. Seu pingente tinha um pentagrama, e, no centro, uma fada cravada.

– Meus instintos nunca falham. Sabia que esse vestido pertencia a alguém – disse Madame Vlaskavovish, me pegando de surpresa. – Tem horas que nós fazemos peças que normalmente não servem em ninguém. Neste caso elas são especiais, feitas pelo destino. Este traje, sem dúvidas, foi feito especialmente para você.

Fiquei intrigada. Por que seria feito para mim? Entendo que o vestido era belíssimo. Até posso dizer que um dos mais bonitos que já vi, senão o mais; seria por quê? Questionei a costureira e ela me explicou:

– Se reparar no pingente, vai ver que há o desenho de uma fada. O significado deste colar é que uma fada iria descobrir o amor na magia. No caso, o simbolismo vem do pentagrama. Essa fada só pode ser você, Mel.

– Tudo que a senhora diz é estranho – disse um pouco alterada e confusa. – Faz certas suposições, sem nem ao menos me conhecer. Não acredito que meu destino seja tão óbvio.

– Não vamos brigar, querida! – ela disse calma, mostrando a falta de dentes num sorriso tranquilo. – Entre no chalé e vista este vestido! Quando fizer isso irá compreender.

Não entendi a mulher, mas precisava arranjar algo para a festa. Por isso, decidi seguir o conselho. Meio a contragosto, mesmo amando o vestido e sabendo que ele era perfeito, o peguei com certa raiva. Todo mundo parecia saber mais da minha vida do que eu. Aquilo me irritava. Junto com o vestido, peguei todos os acessórios e entrei no apertado chalé de madeira.

O lugar organizado conseguia ser ainda mais bonito. O espelho com bordas douradas à minha frente enfeitava um pequeno espaço, onde tinha um pufe vinho, uma mesinha com um bule de chá e xícaras e um tapete felpudo salmão no chão. Tirei a roupa observando meu corpo nu no espelho reluzente.

Nos últimos dias minha aparência havia mudado. Antes via uma menina no espelho com uma expressão imatura no rosto.

Hoje o sofrimento fez com que me tornasse madura, deixando as feições infantis de lado. Meu corpo parecia mais de mulher. Finalmente crescia.

Coloquei o vestido em meu corpo, sentindo uma magia no ato. Parecia que o vestido se ajeitava como uma luva em uma mão fria. Tive uma sensação de realização ao experimentar o tecido deslizando pelo corpo. Ela estava certa. Dava a impressão de ter sido feito para mim. Coloquei os últimos acessórios e me olhei no espelho. Estava linda. Sentia-me linda. Aquele vestido seria mesmo para mim?

Vários momentos vividos nos últimos dias passaram como um flash em minha memória. Eu parecia mesmo com uma fada que achara o amor na magia. Então será que eu era a fada do colar? Olhando para ele em meu pescoço, tive certeza de que sim. Simplesmente parecia certo. Notei então que meu destino estava traçado.

O baile me esperava.

20

Saímos cheios de sacolas da loja, Arthur fez questão de me dar o vestido de presente, mas em nenhum momento o viu. Agora eu que queria fazer uma surpresa.

Peguei um táxi para ir para casa, pois Arthur precisava dar uma olhada em seus funcionários no trabalho. Ele tinha uma gerente muito competente, mas nunca ficava tranquilo se não comandasse os negócios da família de perto. Pelo menos os negócios mais "humanos".

Ao ficar sozinha na casa, resolvi escrever uma carta para ele. Não tinha motivos para isso, mas sentia que precisava. Escrever me acalmava. As palavras pareciam um remédio forte para qualquer dor na alma. Só havia dois lugares na casa com papel: o escritório da mãe de Arthur ou o dele. Como me familiarizei com o de Veronika, decidi ir até lá. Cumpri todas as etapas do encantamento e entrei no aposento mal-iluminado. Agora não existia mais a luz fantasmagórica do holograma da mulher. Acendi as velas que estavam na mesa em um castiçal prateado. Longas velas brancas. Podia acender a luz, mas não me parecia tão divertido. Encontrei pena e pergaminho na primeira gaveta da escrivaninha. Inspirada, comecei a escrever tudo que vinha à minha mente. Lembranças de todos os momentos que já tínhamos passado juntos. Desde o momento na floresta em que vi apenas seu olhar até nossa ida a Camden Town. Declarei todo o meu amor por ele e confessei que não conseguia mais viver sem estar ao seu lado.

Sabia que quando encontrasse a carta ficaria muito feliz. Coloquei-a na cabeceira da cama de Fairyland. Por instinto fui até minha bolsa que estava no quarto e peguei o desenho feito pelo menininho na praça. Senti uma pontada no coração ao me afastar do desenho, que foi feito com tanto carinho, mas sabia que para tudo se tem uma razão. Precisava, por algum motivo, deixar o desenho com a carta. Em breve iria entregá-los.

Fui à SALA – ESTADOS UNIDOS. Queria ligar para minha amiga Olinda, pois fazia muito tempo que não nos falávamos. Talvez ela estivesse preocupada. Ouvi três toques no telefone até a italiana atender esbaforida. Fiquei com medo de ter ligado em uma hora imprópria.

– Pub La Itália, Olinda Mancini falando! – disse a mulher do outro lado da linha.

– Por que está esbaforida? – perguntei, sabendo que ela reconheceria minha voz.

– Mel! Quanto tempo sem dar notícias! Estamos preocupados. Entendo que agora só exista o príncipe encantado, mas não custa falar *oi*.

Ri com seu comentário. Contei o que havia acontecido nos últimos dias e como foram intensos. Ela pediu para eu não ligar para suas besteiras, pois estava apenas com saudades. O mesmo acontecia com Vincento. Mas mesmo animada com minha ligação, percebi que Olinda não prestava muita atenção. Várias vezes me pedia para repetir o que falava. Até que ouvi o barulho de pratos se quebrando. Algo não estava certo. Antes de ela falar, já percebi o que acontecia.

– Ah! Vincento decidiu cozinhar outra vez! Será que ele não aprende?

– Não! Ele não me ouve. Esse velho porcalhão acha que minha cozinha é brincadeira. Espere só um minuto, querida – Olinda saiu do telefone, mas isso não abafou sua voz. – Vincento! Meu chão limpinho está coberto de molho. Essa é sua sentença de morte, companheiro. Vou entrar em greve. Ah, vou! Estou tentando falar com a Mel e não consigo.

Ao fundo consegui ouvir a voz animada do simpático senhor.

– Mel? Querida, a Mel está no telefone?

– Sim, bagunceiro! Falo sério! Se minha cozinha não estiver em ordem, hoje a casa vai cair!

Vincento não parecia ligar para as ameaças da mulher, pois eu podia escutar as risadas dele. Com a maior naturalidade ele disse:

– Olá, doçura!

– Vincento, será que não aprende? – perguntei rindo ao mesmo tempo.

– Vocês sabem que minha comida é sublime.

Concordei. A comida do italiano sempre foi muito boa. O problema era a situação do chão após o preparo. Sempre ficava uma bagunça, parecendo um campo de guerra destruído pelos inimigos.

Conversamos por pouco tempo, porque a ira de Olinda era bem maior que o bom humor de Vincento. Provavelmente ele ficaria o dia inteiro tirando o molho de tomate das paredes e do chão da cozinha tão branquinha do restaurante. Mas fiquei feliz de poder conversar um pouco com eles.

Agora era hora de ver como seria minha noite e parei para apreciar o céu. Num dia qualquer, um pôr do sol como aquele teria sido lindo. Mas nada era mais lindo que o sentimento que eu tinha por Arthur. Ficar sem ele era uma droga, mesmo que apenas por algumas horas. O fim do dia reluziu por entre as árvores do jardim. Eu podia ouvir a rajada de vento produzida por uma frente fria vinda do oceano.

Queria agradar Arthur. Talvez fazer algo diferente. Até para aproveitar o conselho de Veronika e viver intensamente minha vida. Só não sabia o quê. Tudo parecia bobo demais.

Resolvi preparar um jantar especial. Arrumei a mesa com uma decoração elegante, envolvendo pratos de porcelana e talheres de ouro. Coloquei um peru para assar com todos os acompanhamentos.

Minha mãe sempre dizia: uma mulher que cozinha faz um homem feliz. Poderia soar machista, mas era verdade. Uma boa comida feita com carinho e boas energias nutria o amor de um casal.

Mexi o molho de ervas finas. O cheirinho dele se misturou com o do peru, deixando a cozinha com um ar convidativo. O aroma trazia várias recordações de minha infância. Sentia falta do meu pai, que nunca mais veria, e da minha mãe longe de mim. Lembrei-me de um Natal em que minha mãe preparava a ceia. Meu pai me colocou de cavalinho nos ombros e pediu silêncio. Nós dois entramos na cozinha e a ouvimos cantarolando uma antiga oração. Aproximamos para assustá-la, mas havia notado nossa presença e foi ela quem nos assustou. Nós três nos divertimos a ceia inteira. Aquele foi um dia maravilhoso.

A sala de jantar no fim ficou perfeita e minha felicidade só aumentou. Acendi duas longas velas pretas sobre a mesa, também um incenso. O salão de música estava próximo, com isso encantei os instrumentos para tocarem uma canção romântica durante o jantar. Estendi as mãos sobre a mesa e agradeci pela comida, pedindo para os deuses abençoarem nossos dias.

Quando terminei, Arthur chegou com uma expressão cansada em casa. Logo ao ver a preparação ela mudou. Ele sorria da forma que eu gostava.

Tivemos uma ótima refeição e fui levada como uma noiva em núpcias para o quarto, onde tivemos outra noite de amor. Mais uma noite em que era sua mulher.

30 DE OUTUBRO

21

Exatamente como vinha acontecendo em todas as manhãs nos últimos dias, acordei com Arthur ao meu lado. Todo o meu corpo se arrepiou de felicidade ao vê-lo. Agora, se iria mantê-la pelo resto do dia, já era difícil de prever. Todos os dias, encarava o rapaz dormindo; naquele não foi diferente. Sempre tinha medo de acordá-lo, ainda assim ficava aliviada ao ouvi-lo respirar; sentindo-me segura de saber que meu amor dormia tranquilamente. Mas mais uma vez ele acordava com meu barulho. Naquela manhã tinha sido com o som do movimento da minha coberta. Fazer o quê? Sempre fui muito estabanada.

Assistimos ao nascer do sol pela janela, uma mistura de azul royal com cor-de-rosa. Olhamo-nos apaixonados, ficando claro que todas as esquisitices haviam desaparecido. Uma coisa era certa: estávamos apaixonados.

– Quero aproveitar o dia para lhe mostrar um lugar especial – disse Arthur levantando-se da cama.

Ao mesmo tempo, o celular do rapaz tocou em um volume ensurdecedor. Enquanto o trim trim trim continuava, procuramos por todos os lugares o aparelho, desde as cobertas até as roupas espalhadas pelo chão, respirando fundo para mantermos a calma. Para minha surpresa, a primeira ligação que Arthur recebia pela manhã era uma bronca, pelo tom da voz do outro lado da linha, ainda por cima de uma mulher. Eram seis e meia da manhã. Não entendi o motivo da ligação. Eu estava sentada na cama morrendo de ciúmes. Queria saber quem havia ligado para ele. O rapaz saiu da cama apressado, dizendo que teria de adiar nosso passeio por algumas horas, e se trancou no banheiro. Fiquei furiosa. Não queria toda a atenção para mim; não queria que ficasse dando satisfações ou perguntando como eu estava me sentindo. Mas ele não me perguntou nem o que eu iria fazer enquanto não voltasse. Ele poderia ficar o dia todo fora de casa. Queria apenas consideração. Conversa. Não era fácil para uma mulher acordar com o namorado – se o podia chamar assim – levando bronca de outra mulher no telefone.

Depois de ficar quase o dia todo enrolando, conseguimos fazer o tal passeio à tarde. Entramos no carro dele e seguimos viagem para o lugar especial.

Dessa vez o passeio foi mais longe. Já imaginava a distância, por termos pegado o carro. Quem em Londres usa automóvel hoje em dia? O trânsito sempre foi um inferno, agora ainda mais. De dez em dez minutos ficava com vontade de perguntar se estávamos chegando. Parecia até uma criança em dia de excursão. Depois de torrar a paciência do garoto, ele apenas falou que estávamos indo para a planície de Salisbury, no sul da Inglaterra. Legal. Tinha tantas coisas para fazer por lá, que seria difícil descobrir qual local visitaríamos.

Uma hora se passou.

– Estamos chegando? – perguntei.

Nada de resposta. Duas horas se passaram... Será que era agora? Nada. A conversa até estava me entretendo, mas ela nunca acabaria com minha curiosidade. Ele parecia achar graça nisso. Sempre ria com minhas expressões mal-humoradas ou ansiosas.

Estava quase ficando entediada, quando vi uma placa que me chamou atenção.

– Estamos indo para o Stonehenge? – perguntei animada, vendo a placa que avisava aos turistas que o monumento estava próximo.

– Você ainda não percebeu? Não vou te dar mais detalhes.

Mas que saco! Bem... se fôssemos visitar o estranho e indecifrável Stonehenge seria interessante. Nunca havia visitado um lugar mágico com alguém que acreditava em magia. Quer dizer, já tinha ido com meus pais, mas até então eles eram britânicos normais, funcionários do Parlamento.

O Stonehenge sempre foi meu monumento predileto. Primeiro porque era pré-histórico. Quem não gosta de coisas pré-históricas? Segundo, porque até hoje não se sabia nada de concreto sobre sua origem, bem como sua função. E ainda acreditavam que era usado para estudos astronômicos, mágicos ou religiosos. Perfeito para mim. Também para Arthur. Se estivéssemos indo para Stonehenge o dia seria mágico.

Tão mágico como um livro de Marion Zimmer Bradley.

Achava pequenos indícios de nosso destino misterioso. Pensei que nunca descobriria, pois Arthur teimava em não me falar. A essa altura, ele já deveria saber que não aguentava ficar curiosa. Depois de alguns instantes, a agitação acabou. Exatamente quando não havia mais esperança de que ele me dissesse aonde íamos, ele revelou o local.

– Você se lembra de quando me levou ao bosque perto de sua casa?

– Como podia me esquecer? – retruquei.

Nunca esqueceria como voamos tranquilos, apaixonados, pelo gélido vento de Londres.

– Você me disse ser o seu lugar mágico, o mais importante em todo o mundo. Hoje vou mostrar o meu para você. O Stonehenge significa isso para mim. É o meu lugar mágico.

Fiquei feliz de ele estar compartilhando isso comigo. Quando olhei pela janela, as nuvens tinham sumido e o sol continuava a arder meus olhos. Um dia ensolarado não refletia a minha pessoa. Nuvens cinzentas cobrindo o céu me faziam feliz. Contudo, vendo aquele dia brilhante, sabia que no Stonehenge teríamos o cenário ideal para relaxar. Uma paisagem de tirar o fôlego.

Chegamos ao estacionamento, saímos do carro em direção à bilheteria, mas não precisamos pagar. Por alguma razão desconhecida, Arthur conhecia todo mundo. Eu me sentia importante, por estar ao lado de um homem como aquele. Ele apresentou um cartão magnético para os guardas e entramos. Todas as outras vezes em que fui ao Stonehenge tinha uma enorme quantidade de turistas, mas naquele dia só havia dois casais por lá. Os guardas fecharam a bilheteria após entrarmos. Não entendi a atitude. Olhei para ele com os lábios apertados e uma ponta de dúvida no olhar. Arthur apenas sussurrou que podíamos ficar a sós. Aparentemente, pela forma que falava com os guardas, o conheciam por ser da W.I.C.C.A. e o respeitavam como o Príncipe das Bruxas.

Arthur parecia muito confiante e passou tranquilamente pela corda de segurança que impedia as pessoas de chegarem perto do Stonehenge. Nenhum humano podia se aproximar das pedras altas. No entanto, ele não me fazia sentir desconfortável; na verdade, agia de forma bastante descontraída, como se convidar uma namorada para ver de perto um dos monumentos mais famosos do mundo fosse a coisa mais natural. O rapaz me mostrava todos os cantinhos das pedras, também explicava seus possíveis significados. Sua voz mantinha um tom sério ao falar sobre as lendas, me guiando com a postura de um expert. Isso me fazia rir internamente.

– Então você é um especialista em Stonehenge? – indaguei.

– Engraçadinha – disse ele mostrando estar se divertindo. – Como você pode ver, existe um acesso restrito a Stonehenge. Minha família sempre esteve presente na lista sagrada, que define quem pode ultrapassar essa área.

Entendi o fato de ele poder entrar na área proibida, mas me dava um certo receio, afinal eu não tinha meu nome nela. Nunca imaginei estar dentro do monumento. Agora, percebia o quanto aquele momento era importante. Eu andava livremente por Stonehenge.

Passamos um bom tempo tocando as pedras geladas e ásperas, observando símbolos escondidos na superfície. Andamos por entre as colunas de quase cinco metros.

Entre as explicações, Arthur me beijava intensamente. Seus olhos se arregalavam, olhando para mim em busca da confirmação de que eu me divertia. Aquilo só podia ser brincadeira. Claro que aquele momento era histórico. Arthur sempre obtinha sua resposta com um sorriso espontâneo vindo da minha parte.

Tive uma dúvida sobre a posição de uma das pedras, mas quando fui questioná-lo, percebi Arthur calado mostrando-se concentrado. Respeitei seu silêncio.

Já estávamos quase no fim da tarde. Arthur foi até o centro do círculo e sentou na grama. Observei sua respiração profunda. Será que o ar daquele local também era especial? Saberia Arthur me dizer? Senti o impulso de perguntar, mas voltei atrás. Ele parecia tão calmo, sereno. Pela forma de agir, fazendo um tipo de respiração específica, via Arthur mudar sua aura de cor. Onde esse Arthur evoluído se escondia? Ele tinha crescido muito nesses últimos dias. Será que percebia isso? Pensava em como ele tinha aprendido coisas importantes sobre seu passado, até sobre si próprio. Tinha medo desse novo Arthur não gostar de mim. Mas, no fundo, sentia-me bem de ver um Arthur adulto, maduro, sentado naquela grama no meio do Stonehenge. Ficavam claros todos os traços mágicos herdados de Veronika. No Stonehenge ficava provado que ele era filho dela.

Percebi que seria bom deixá-lo alguns instantes sozinho, mas eu não queria ficar sozinha. Contudo, seria injusto atrapalhar seu momento, ele parecia tão calmo em sua respiração, agora com os olhos fechados. Realmente seria um desperdício não o deixar meditar. Temia que algo em sua meditação pudesse prejudicar nosso relacionamento. Ele evoluía tanto. E se de repente resolvesse que sou complicada demais? Não poderia culpá-lo. Eu sempre fui assim, não mudava. Dei-lhe um beijo nos lábios fechados, na esperança de ele se lembrar de mim, e me levantei. Comecei a andar em passos leves pela grama, tirando os sapatos para sentir a temperatura do chão, também a terra por entre os dedos. Aquilo me fazia viva. Esperava que ele não reclamasse de meus pés sujos de barro. Se reclamasse também não iria ligar, pois aquele momento era único. Chegando perto de uma das pedras cinzas, vi inscrições na rocha. Um tipo que não havia visto ainda. Teria algum significado especial? Droga! Não podia atrapalhar Arthur para perguntar.

Continuei a andar por entre as rochas. Aquele local, além de deslumbrante por sua imensidão, possuía uma magia possível de ser sentida até por um mortal. Havia tantos segredos no ar sendo contados pelos espíritos das antigas feiticeiras. Ou só eu podia escutá-los?

Mesmo estando a metros um do outro, o espaço que nos separava parecia pequeno. Sentia nosso elo bem maior. Ele continuava com os olhos fechados. Eu não conseguia deixar de pensar nele. Percebi seus lábios mexerem lentamente, como se falasse com um ser imaginário, como se fizesse uma prece. Achei aquela cena linda. Merecia ser gravada. Arthur não parecia se importar com os guardas ou até mesmo comigo. Aquele momento de conexão dele provavelmente seria com seus antepassados.

Em Stonehenge, você se sente completamente desligado do mundo, das coisas superficiais, idiotas. Arthur estava aproveitando isso. Ligava-se ao mundo espiritual. Por que eu não aproveitava também o momento? Já sei, porque ficava matracando internamente sobre o que ele poderia estar pensando. Mas eu também queria me conectar aos bons espíritos, por isso decidi fazer de uma forma diferente. Iniciei minha própria forma de prece, começando a dançar.

Primeiro movimentei as mãos em gestos suaves, fazendo círculos no ar. Logo meu torso acompanhou o ritmo parecendo com os da dança do ventre. Os pés vieram por último dando passinhos ritmados. Agora meu corpo todo se movia como uma serpente ao som de uma flauta. Mas o meu som vinha dos sussurros do vento ao meu ouvido. Será que algum guarda parou para me observar? Comecei a rodopiar por todo o espaço do monumento. Parecia um pião fazendo voltas perfeitas no mesmo lugar.

Perto do local onde Arthur meditava, encostei suando em um pilar de pedra. Ao contrário do chão e do vento, o pilar parecia estar quente. Esperava o toque gélido em minhas costas, por isso me assustei. Virei-me, e percebi que havia uma parte mais escura na pedra, o que dificultava a visão de alguns símbolos contidos nela. Forcei a vista para tentar enxergar. Com dificuldade, consegui decifrar.

Em uma rocha. No meio da planície de Salisbury. No monumento natural mais comentado do mundo. Havia uma frase: Destino... Fairyland.

Senti-me apunhalada. A frase só podia ser direcionada para mim. Não tinha dúvidas. Engoli em seco, evitando o olhar de Arthur, tomando cuidado para não reagir de forma exagerada. Não queria ir longe demais com meus sentimentos.

Destino... Fairyland. Seria esse meu real destino? A ideia me parecia improvável. Nunca houve empecilho de meu destino ser Fairyland, mas agora existia. Esse empecilho chamava-se Arthur.

Ele se levantou da grama e me observou, enquanto eu me recuperava. Minha respiração voltava ao normal, olhei para ele e descobri que sorria para mim, mas de um jeito diferente.

– Alguma coisa errada? – perguntei.

Ele respondeu com seus olhos. Começou me olhando do topo da cabeça, descendo até os dedos do pé sujos pelo barro, demorando-se em meus seios destacados pelo vestido. Então ainda sentia desejo por mim? Fiquei aliviada com o modo sedutor de seu olhar, me fazendo esquecer por alguns segundos a rocha ao meu lado com a maldita inscrição. Como sempre, quando pensava em Arthur me olhando daquela forma, minha garganta fechava, meus braços começavam a tremer e eu me perguntava se algum dia iria me acostumar com o fato daquele homem me amar. Não queria mais deixar a dimensão dos mortais.

Ele olhava para mim com uma expressão de desejo e sedução, exatamente como eu o admirava. Nenhum de nós queria permanecer afastado, mas, diferentemente de mim, ele sentia ser o seu dever me amar naquele local.

– Mel! Este é um lugar especial. Você é uma pessoa especial para mim. Sempre soube que a encontraria.

Fomos juntos até o centro da circunferência. O céu perdia a claridade. Até a altura das pedras, um grande alaranjado irradiava do pôr do sol. Acima de nós apenas as primeiras estrelas que surgiam. Por entre as pedras a luz passava. Precisamente no local em que estávamos. Um clarão nos envolveu. Arthur foi se deitando na grama conforme o sol descia se escondendo no horizonte. E sussurrou:

– *Illegitimi non carborundum.*

Ainda em pé, em movimentos lentos, fui tirando as peças de minha roupa. Fiquei completamente nua, mas estava invisível para os outros. Sentindo-me abençoada, deitei-me por cima de Arthur. Consagramos a união de nossas almas e corpos. Precisava desse momento. Experimentamos os prazeres da carne. Do amor em sua verdadeira forma. Nós dois ainda nus contemplamos o show da natureza e agradecemos por ter nos encontrado.

22

O tempo passado em Stonehenge tinha sido mágico. Ao mesmo tempo preocupante. Tinha muito em que pensar, mas pouco tempo para isso. Precisávamos nos arrumar rápido para o evento organizado pela comunidade mágica.

Mesmo atrasados, Arthur não se mostrava nervoso. Como conseguia manter tanta calma? No final, não foi difícil para ele se arrumar. Tinha me esquecido de que os homens sempre se arrumam mais rápido. Achava isso injusto. Para eles, tomar um banho correndo, passar uma colônia e vestir o smoking parecia ser o bastante. Na hora de ele fazer o laço de sua gravata borboleta, pensei que ficaria alguns minutos tendo dificuldade. Não é que conseguiu fazer em um segundo? Já eu precisava tomar meu longo banho de sal grosso, conseguir entrar em meu vestido, fazer o cabelo e me maquiar. Iria tomar um tempo enorme. Ainda tinha que fazer isso com ele me encarando, como se perguntando por que eu demorava tanto.

Tomava meu banho no banheiro do quarto Fairyland, quando ouvi o celular de Arthur tocar. Mais uma vez o celular tocava. Mesmo com o chuveiro ligado conseguia ouvir o som do toque berrante. Seria a tal gerente de sua empresa? Se fosse, não sabia qual seria minha reação. Saí do banheiro, indo para a cama, onde meu vestido vermelho feito pela Madame Vlaskavovish estava estendido. Caramba! Minha carta com o desenho de Patrick não tinha sido entregue para ele, permanecia na cabeceira da cama. Precisava entregar, mas aquela não parecia ser a hora certa.

Não ouvia a voz de Arthur falando no celular. Aquilo me preocupava. Em poucos minutos, ouvi passos no corredor parecendo vir até o quarto. Arthur entrou se arrastando, como se tivesse indo para forca, o que me fez questionar se aquilo não tinha um porquê. Foi a primeira vez que realmente prestei atenção em como se vestia. Usava um impecável smoking preto de casaco curto com lapelas de seda. Imagina o quanto isso devia ter custado. A calça possuía as laterais no mesmo material da lapela e uma faixa vermelha, como a do meu vestido, estava presa a sua cintura. Não sabia se havia sido escolhida pela costureira, ou se ele tinha escolhido a mesma cor que eu. Sua camisa branca tinha a frente toda trabalhada, a gravata também tinha a coloração avermelhada. Vestia um sapato clássico preto de verniz. Os cabelos estavam jogados para trás, aparentemente com gel. Um cheiro de colônia invadiu o quarto, no momento, cheio de borboletas. Tinha me esquecido, por alguns instantes, do telefonema.

– Desculpe-me, querida. Terei de sair mais cedo. Houve um pequeno incidente na fábrica. Para piorar minha gerente já havia saído para ir ao baile. Ela é amiga do ministro. Mesmo sendo humana consegue ser convidada – disse Arthur, visualmente abatido com a notícia. – Teria como me encontrar lá em meia hora?

Desapontada, murmurei um "sim". Ele me deu um beijo na testa, saindo às pressas. No entanto, não parecia achar aquilo tão ruim como eu, por isso tentava fingir que tudo estava bem. Mas que tipo de problema podia ter acontecido na empresa? Ainda mais em uma noite de Halloween! O mais interessante foi ele não comentar quem havia ligado, porque se sua gerente não estava mais na empresa, quem tinha esse tipo de contato com ele? Nessas horas percebi não saber muitas coisas sobre a vida de Arthur. Que péssima namorada eu era! Outra vez dizia namorada. Bem... Só não era porque ele não tinha me pedido em namoro. Fiquei pensando se tinha sentido não ser a gerente na ligação. Sabia que não havia motivos para meu ciúme, mas algo me incomodava nessa história. Fiquei chateada de ter que aparecer em um baile como aquele sozinha, sem conhecer ninguém. Por que ele fazia isso comigo? Aliás, em uma situação dessas qualquer mulher sentiria uma pontadinha de tristeza.

Coloquei o vestido com cuidado, arrumei meu cabelo em uma bela trança lateral, coloquei o chapéu, brincos e o colar com a fada. Passei uma maquiagem suave com apenas um blush vermelho para combinar. Ao ficar pronta, minha autoestima melhorou.

Consegui tomar coragem.

Rumei sozinha para o Palácio de Buckingham.

Ao entrar pelos portões laterais, escoltada por dois guardas carrancudos, não conseguia acreditar. Tinha entrado mesmo naquele palácio. Desde pequenininha tinha vontade de conhecê-lo. Naquele local, reis e rainhas se entretinham com festas dedicadas em seu nome e onde, atualmente, chefes de Estado eram recebidos.

No céu azul-marinho as estrelas piscavam acompanhadas pela luz prateada da lua, delineando os contornos do palácio. Eu estava completamente empolgada para visitar o local onde a realeza vivia, mas me esquecia de que agora as coisas eram diferentes: eu *pertencia* à realeza. Na verdade sempre pertenci. Só precisava me acostumar. A festa serviria de exercício.

No portão principal, os guardas carrancudos me barraram pedindo meu nome para verificar a lista de convidados. A forma rude da abordagem me deixou sem jeito, mas em poucos minutos relevei. O segurança parecia ser um vampiro. Aquilo me fascinava. Então todas aquelas criaturas de que já ouvi falar realmente existiam? Ainda teria a chance de poder vê-las de perto. Meu nome foi verificado. Encaminhei-me até o interior do palácio, onde acharia o salão de festas. Tinha de descer uma longa escada para chegar, mas do alto podia se ver todo o local.

A enorme festa parecia ter tudo como prometido. Fiquei parada, estática, sem conseguir respirar, lutando para acompanhar todos os pensamentos da minha mente ao me concentrar na agitação do salão. Pequenos detalhes podiam passar despercebidos se não parasse um minuto para observá-los. Reparava em todos os cantos do salão, maravilhada com a cor dourada reluzente de todas as taças, garfos, facas, pratos e diversos utensílios. Não sabia se tinha ficado abobada pela decoração ou pelos diferentes seres caminhando por aquele salão.

A rainha e a comissão organizadora da festa deveriam ter tido muito trabalho. O tema da festa não fugia dos padrões de um Dia das Bruxas convencional. Havia um toque de Idade Média nas várias espadas, carroças e árvores espalhas pelo lugar. Tudo relembrava aquele período mágico da história mundial. Onde normalmente havia o trono da rainha, agora residia um pequeno castelo cinza, feito de pedras largas, provavelmente grossas, dando a impressão de estar em uma colina distante. Observava vários caldeirões gigantes espalhados pela pista. Eles eram lindos. Mesmo do topo da escada, via o fogo ardendo por baixo deles. Uma espuma colorida borbulhava dentro da maioria deles.

Alguns morcegos voavam sobre nossas cabeças, gatos das mais diversas cores perseguiam ratos, corujas piavam empoleiradas nas árvores, sapos pulavam na pista de dança parecendo aproveitar a música. No lado extremo do salão havia uma mesa. Ela ocupava quase toda a largura dele. Não conseguia imaginar como haviam colocado a mesa no local. Deveria ser muito pesada. Uma toalha preta com bordados temáticos a cobria. Conseguia enxergar de longe os fantasminhas desenhados nela, mas queria observá-la de perto. Em cima havia todos os tipos de comida que se podia imaginar. Lembrei-me da mesa de comida dos filmes de Harry Potter, que havia assistido com meus pais no cinema. Com certeza aquela mesa conseguia ter mais guloseimas do que a dos filmes. Era comida para agradar qualquer criatura. Vi, mesmo de longe, um trasgo civilizado chegar perto dela para pegar uma espécie de mão humana. Ele mastigava com gosto a refeição monstruosa. Chacoalhei a cabeça tentando tirar a cena da minha mente.

As pessoas, ou devo dizer criaturas, estavam bem arrumadas. Arrumadas até demais. Todos vestiam roupas de festa, pois a ocasião pedia elegância. Usavam vestidos de gala e fraques de abas longas. Eles passeavam pelo salão desfilando. Todas as espécies mágicas deviam ser encontradas naquele local.

Perto do bar havia um grupo de pequenos duendes bêbados. Algo bizarro de se ver. As pessoas tropeçavam nos duendes estirados no chão de tanto beberem cerveja verde ou por causa de um acesso de riso. Na pista de dança havia um grupo animado de bruxas adolescentes dançando em um ritmo agitado. Seus vestidos negros flutuavam pela pista. Notei que elas paqueravam um grupo de elfos sentados à mesa ao lado. Eles não pareciam animados com isso, pois reviravam os olhos quando alguma bruxa chegava mais perto. O mais velho do grupo, talvez o líder, conversava com uma moça de traços finos e elegantes. Ela me lembrava do quadro de Rámalókë ho Taurë, senhora dos Elfos.

Não imaginava que ficar observando um evento de longe fosse tão divertido. Pelo menos uma festa mágica me parecia ser. Havia outros seres diferentes perambulando. Conseguia reconhecer pelos traços físicos ou pela vestimenta alguns deles. Como os antigos parentes de guerreiros humanos, com suas espadas presas à cintura, que comemoravam bebendo cerveja em grandes canecas. Achei graça na forma de os guerreiros tentarem atrair a atenção das bruxas dançantes. Elas ainda pareciam mais interessadas nos elfos mal-humorados. Eu não as julgava. Eles eram muito mais bonitos. Como não podia faltar uma briga em festa, do outro lado do salão, uma guerreira apontava uma lança contra um anão visivelmente arrependido. Ele se ajoelhava pedindo piedade, trançando a longa barda com os dedos, nervoso. Assistindo a tudo aquilo pensei: esse era o meu lugar.

Embora só a ideia de descer as escadas e me expor a todos me deixasse envergonhada, respirei fundo e fui em frente, pois era para isso que tinha ido até lá. Determinada a soar amigável, queria conhecer o máximo de pessoas possível, mesmo significando fingir interesse no começo. Decidi descer as escadas direcionando-me à mesa de comida. Em todas as festinhas de escola ou família meu pai dizia: o melhor lugar para amizades em uma festa sempre foi em torno da mesa. Ainda brincava: se ninguém se aproximasse, o máximo a fazer seria comer as guloseimas para matar a tristeza. Como sentia saudade do meu pai. Ele estaria sorrindo se estivesse aqui. Capaz de sentir-se orgulhoso ao ver a filha se apresentando ao mundo mágico. O seu mundo amado.

Cheguei ao meio da escada. Percebi algumas pessoas me observando. Mulheres jovens fofocavam apontando o dedo para mim. Achei a atitude um tanto grosseira. Senhoras mais velhas tampavam as bocas com as mãos sujas de comida. Homens... (bem, homens eram homens) tinham desejo estampado nos olhos. Mas nada daquilo me importava. Logo quem eu realmente queria que me desejasse iria chegar.

Andando em direção à mesa esbarrei em uma mulher loira, de cabelos tão curtos, que parecia um homem de costas. Desculpei-me pela indelicadeza, afinal minha distração tinha causado o problema. Dei um risinho nervoso com os lábios desajeitados e hesitantes. Respirei aliviada quando ela disse não ser um problema. Vendo-a mais de perto, descobri que era muito bonita, mesmo com o péssimo corte de cabelo.

– Oh! Você é a Melanie Aine das Fadas. Tenho escutado todos os dias sobre você – disse a mulher pegando-me de surpresa.

Encabulada, não sabia o que responder. Também não entendia o porquê daquela mulher ouvir meu nome nos últimos dias. Seria parente da bruxa costureira?

– Este é meu nome – respondi seca.

– Arthur está a caminho – ela disse com a maior casualidade.

Fiquei chocada, depois enciumada.

– Arthur Wales? Como você o conhece? – perguntei sem esconder minha rispidez.

– Querida, qualquer pessoa nesta festa conhece o Art.

Art? Meu cérebro esquentava mais do que chaleira em fogão a lenha. Arqueei minha sobrancelha, contraindo os lábios. Deu para notar. Não gostei de ouvir outra mulher se referir a ele com apelidos. Ela ficou encabulada com minha reação, tentando se explicar:

– Nos conhecemos há muitos anos. Sou gerente de sua empresa de exportação. Acostumei-me com o apelido.

– O apelido dele é Art?

Minha raiva aumentava. Parecia estar visível. A mulher notou que aquela conversa não ia muito bem. Deu uma desculpa de ter visto um conhecido para se afastar. Esperta ela. O encontro com a tal gerente, de quem já não gostava, não tinha me ajudado a encarar a festa sozinha. Por onde andava Arthur?

Nervosa, resolvi atacar a comida. Segui o conselho de meu pai, afogando minha tristeza no ensopado à minha frente. O gosto dele era divino, ainda bem.

Eram quase dez horas da noite. Arthur sequer tinha dado notícias. As "informações" da gerente não contavam. Precisava me levantar, dar uma volta. Não aguentava mais ficar naquela situação miserável. Antes de me erguer da cadeira, uma pessoa tocou meu ombro. Assustei-me e a encarei.

– Olha só! Que legal encontrar minha prima finalmente em uma festa – comentou a pessoa.

Um jovem rapaz me olhava. Parecia ser um pouco mais novo. O cabelo alaranjado, todo arrepiado, dava um ar muito moderno para a ocasião. Será que só eu percebia isso? Talvez fosse loucura minha, mas até o tom de seus olhos eram alaranjados. Podia estar enganada e serem apenas cor de mel. O formato de seus olhos lembrava-me um gato. Grandes, mas rasgados, com a íris negra como a morte. O rapaz tinha me chamado de prima? Podia eu ter primos? Isso era uma novidade. Mesmo tendo uma aparência excêntrica, o rapaz me parecia muito bonito, pois tudo combinava com ele. Principalmente o enorme sorriso, exibindo seus dentes brancos. Mas por que pensava se ele era bonito?

– Desculpa, mas você me chamou de prima? – perguntei.

– Você é a princesa Mel, não é?

– Sim. Como você sabe?

– Todo mundo fala sobre você e sua missão – disse o rapaz ainda sorrindo. – Somos na verdade primos de segundo grau, pela parte do seu pai.

– Como você conseguiu vir à Terra em sua estatura normal? – perguntei intrigada.

– Ainda não deve ter sido instruída. Não são apenas os primários da realeza que podem vir para essa dimensão com a aparência normal. Mesmo distante, sou seu primo, portanto da família real.

Mesmo não gostando do tom ao falar que eu não era instruída, resolvi me desculpar:

– Mil desculpas! Realmente não sei nada sobre as regras de Fairyland.

– Em breve irá se acostumar – ele respondeu sorrindo, o que o fez ficar sem jeito pelo excesso de charme em seu sorriso. – Aceitaria dançar comigo?

Não tinha muito ânimo, mas ficar parada não parecia ser a solução, por isso aceitei. Guillian – nome que meu primo sussurrou ao levantar – me conduziu para perto do caldeirão principal. De lá eu teria nítida visão da escadaria, onde conseguiria ver Arthur.

Mas ele nunca chegava.

Pegando minha mão, Guillian me conduzia conforme a música. Surpreendi-me com o fato de ele ser um excelente dançarino. Homens não costumavam dançar tão bem. Pelo menos não os que eu conhecia. Ele poderia seduzir qualquer moça daquele salão com seus passos de dança e seu sorriso de conquistador. Mas eu continuava apreensiva... Arthur não aparecia.

O relógio dourado, preso na parede perto da escada, soou onze horas da noite. Meu coração disparou. Onde ele tinha se metido?

Pedi perdão a Guillian. Paramos de dançar. Ele aceitou, juntando-se a outro grupo que dançava. Tentei procurar a mulher com quem tinha me esbarrado, contudo todas as pessoas tinham se levantado, dificultando a caminhada. Havia na pista de dança um aglomerado de pessoas. Voltei para perto da escada, desesperada. Precisava achar um modo de encontrá-lo.

Virei para subir até o topo da escadaria. Meu coração agoniado quase não conseguia bater de tão apertado. Para minha sorte, o pesadelo acabou. No topo da escada, Arthur me encarava com o "olhar gelatina". Aquele que fazia minhas pernas tremerem. Senti uma mistura de alívio com raiva. Por que tinha demorado tanto? Falta de consideração comigo. Mas ele tinha vindo e me olhava daquela forma, mostrando para todos do salão que eu era dele.

Deixei-me levar pelas emoções. Elas galopavam dentro de mim como cavalos selvagens. Fui ao seu encontro. Ele descia as escadas, eu subia. No meio dela nos encontramos. Quis mostrar minha felicidade e abri minhas asas.

A primeira vez que as abria em público.

O salão inteiro viu. Todos fizeram silêncio. Mas nada importava. Arthur chegou. O meu homem havia chegado.

– Desculpe pela demora – disse, me dando um longo beijo. – Você está maravilhosa!

Minutos depois as pessoas pararam de prestar atenção em nós e voltaram a se movimentar silenciosamente. O clima da festa havia mudado. Todos possuíam uma expressão séria. Pareciam compenetrados.

– Oba! Não perdi o ritual – comentou em meu ouvido.

Indaguei sobre ele.

– O do Dia das Bruxas – murmurou como se eu soubesse. – É nosso Ano-Novo, Mel. Temos de nos libertar das energias negativas.

Perto da meia-noite, todos da festa formaram um círculo em volta do caldeirão principal. A maioria levava velas das mais diversas cores em suas mãos. Assim o ritual iria começar.

Um homem com uma vestimenta muito parecida com a de Arthur entrou no círculo. Aquele deveria ser o ministro, por isso prestei atenção. Em voz alta ele disse:

– Queridos amigos! Como a maioria sabe, sou Pompílio Glasvack, ministro de relações dos seres mágicos. Agradeço a presença, também a colaboração, de todos os presentes.

O ministro pegou um pergaminho de cima da mesinha ao seu lado, sobre a qual vários ingredientes tinham sido colocados, e começou a recitar. Aquilo me deu medo.

– Gostaria que os nomes que eu chamar viessem comigo até o centro do círculo, para darmos início às comemorações. Eles são: Raer Ry ho Taurë.

A jovem elfa de longos fios retos platinados que eu tinha visto se levantou.

– Rimon Pyloo.

Um duende, com expressão sóbria, de chapéu verde com um enorme trevo bordado, juntou-se à elfa.

– Jenny Raschib.

Foi a vez de uma gnoma gordinha se unir. Pelos sobrenomes, percebi serem da formação da W.I.C.C.A.

– Nanael.

Um anjo alto como um jogador de basquete, com asas parecendo as de um pássaro, atravessou o salão.

– Lilith.

Senti medo quando uma vampira se teletransportou ao lado do anjo.

– Arthur Wales.

Largando gentilmente minha mão, Arthur sussurrou um "te vejo logo" e foi em direção ao caldeirão.

– Por último, a novata Melanie Aine das Fadas.

Juntei-me ao grupo. Meu coração quase saía pela boca. No mesmo momento o relógio badalou meia-noite e o ministro disse:

– Que comecem o ritual... Feliz Dia das Bruxas!

31 DE OUTUBRO

23

O caldeirão negro borbulhava tanto que quase transbordou. Sentia ser um perigo deixar o fogo tão alto. Não sabia se ele borbulhava apenas os ingredientes ou também a tensão que corria pelo meu corpo. As fortes luzes cintilantes do palácio tinham sido apagadas. Agora a penumbra, iluminada apenas por velas aromáticas feitas de cera e extratos naturais, reinava. Fiquei aliviada pelo fato de não terem mergulhado o salão em escuridão total. Mesmo com certa claridade, meu corpo já tremia de medo pelo desconhecido, imagine se o salão estivesse em completo breu. Entraria em pânico.

Todos os convidados permaneciam em silêncio, aguardando as próximas instruções do ministro. Ele iria comandar a magia de Ano-Novo. Eu queria que começasse logo.

– Preciso que respirem lentamente, fechando os olhos enquanto fazem isso – disse o senhor Glasvack mudando a voz.

Agora estava tão envolvente, que parecia um professor de yoga comandando uma turma de alunos. Todos os presentes no salão seguiam as instruções. Demorei a fechar os olhos por ter medo do que estava por vir. Como tudo era muito novo, não conseguia me concentrar. Insegura, tentava sentir a presença de Arthur ao meu lado. Mas a vibração que se instalava no salão era muito mais forte. Sendo a primeira vez que praticava magia em grupo, tive que me controlar, tentando fazer parte da harmonia.

– Respirem fundo – pronunciava o homem separando as palavras. – Sintam-se seguros. Relaxados. Quando eu contar até três quero que prendam a respiração. Para sentir em seus pulmões a magia de Ano-Novo. Um. Dois. Três.

Não existia mais som. Era só silêncio. Nem o menor ruído. Não conseguia ouvir o vento. Como isso acontecia? Havia apenas a pausada voz nos guiando pelo novo caminho. Um caminho de paz e prosperidade. Eu pensava em como queria fazer parte disso. Como precisava de paz em meu coração sempre aflito. Será que aquela era a oportunidade para isso? Esperava que sim.

Tentava me acostumar com a falta de luz e a presença das pessoas, só assim me conectaria com a energia delas a minha volta. Mas algo me impedia de fazer isso. Seria nervosismo? Não sei. Não parecia ser só isso. Talvez fosse essa falta de som. Esse grande vácuo na minha mente. Queria tossir, mas tinha medo de emitir algum som. Isso testaria a magia, mas me faltava coragem. Tinha que me concentrar para conseguir entrar no mesmo estado deles.

– Vamos desprender nossas mentes. Solte a respiração. Que a luz branca, a luz divina apareça em seus olhos, entrando em sua alma. Agora com delicadeza abra os olhos. Vejam a luz branca que nos envolve.

Ao abrir os olhos, vi a sombra do ministro se mexer. O homem deu duas palmas fortes, fazendo meu coração disparar de susto. Para meu alívio, pétalas de rosas brancas como neve caíram do teto, pousando em nossas cabeças. Diversas delas. Se me dissessem que era chuva, de início não notaria diferença, pois era um espetáculo o que elas faziam. A sensação das pétalas tocando meu rosto relaxado era o mesmo que gotas d'água.

– Vamos pedir que a luz branca nos proteja. Curando nosso mental e espiritual...

As pessoas começaram a se movimentar no salão até então em silêncio. Todos mudavam de lugar. Logo senti a mão quente de Arthur pegar na minha direita. Nanael, como se fosse uma pluma, pegou na minha esquerda. Estávamos formando o círculo mágico. A ligação eterna. Já tinha ouvido falar de momentos como esse, mas mesmo assim, ainda não conseguia me conectar com eles. Aquilo me atormentava. E se não conseguisse realizar o ritual?

– Ao estarmos interligados, nossas forças se unem. Por isso, repitam as seguintes palavras: Aceito a luz branca. Aceito que sou feito de magia.

O efeito das nossas palavras em voz alta foi explosivo. Como se fogos de artifício tivessem sido estourados dentro do salão. A energia do ambiente, após aceitarmos as frases de Glasvack, foi maior que a de qualquer bomba. Havia força nas palavras. Fé em seus significados. Sentia isso. A determinação de todos para que o próximo ano fosse abençoado. Naquela hora consegui me conectar. Senti minha alma captando a energia. Eu fazia parte daquela corrente. A corrente elétrica que atravessava nossos corpos, pelo elo de nossas mãos, energizando cada célula de nosso corpo. Cada pequena gota de sangue. Ninguém conseguiria quebrar esse elo, mesmo se tentasse. Naquela noite, tudo o que eu não sabia parecia ter vindo me assombrar.

A energia cósmica pairava no ar, densa, flutuando em chumaços como de algodão, se os meus dedos assim quisessem, eu poderia jurar que conseguiria apanhá-la, metê-la num jarro, fechar bem e usá-la quando me aprouvesse. Mas a mão forte de Arthur me segurava, e eu não tinha intenção alguma de soltá-la. A energia cósmica, desta vez, flutuaria sem ser tocada.

E todos observavam as pétalas que não paravam de se materializar, sopradas por um vento que não existia.

Quando Glasvack voltou a falar foi envolvente:

– Vamos agora visualizar quem amamos.

Não precisaria de uma lista muito grande para saber quem eu amava. Acho que qualquer pessoa nesse mundo, em uma questão de segundos, já conseguiria fazer uma lista mental das pessoas que amava. Na hora em que ele pediu, pensei em Arthur ao meu lado. Também em minha mãe em Fairyland, governando um reino que não era dela. Em Olinda e Vincento discutindo ou se amando no pub. Finalmente, não sem nenhum motivo, em meu pai onde quer que ele estivesse.

– Mande a luz branca para eles.

Todos no salão se encaravam, fixando os olhos nas pessoas conforme se viam. Os olhares mostravam o imenso amor que existia nos corações daqueles seres. Não importava se eram de raças diferentes ou dimensões inimigas. Todos no salão sabiam o que era o amor. Seria impossível nunca terem experimentado esse sentimento por alguém. O resultado foi algo mais incrível que a chuva de pétalas brancas, como as do quarto Fairyland. Todos aplaudiram quando as pétalas que estavam no chão suspenderam-se no ar, voltando rapidamente ao teto, desaparecendo em um passe de mágica. Meu chapéu quase voou com a força das pétalas voltando a sua origem. Como tudo isso era possível?

O senhor Glasvack parecia ocupado, por isso pediu ajuda para três feiticeiras ao seu lado. Elas pareciam mais freiras do que bruxas pelas suas roupas. O ministro mostrou os ingredientes da mesa ao seu lado, posicionando-os perante o caldeirão borbulhante.

– Canela, hortelã, arruda! Dente-de-leão, mirra, sementes de girassol, cravo! – disse o ministro enquanto as freiras acrescentavam os ingredientes no caldeirão. – Pelo de unicórnio e casulo de borboletas! Unha de gato e pena de coruja!

Ao terminarem de acrescentar todos os ingredientes, as feiticeiras se afastaram do caldeirão. Senti certo medo ao ver nove homens, vestidos dos pés à cabeça de preto, fazendo um círculo em torno do líquido que cozinhava. Eles ergueram as mãos ao céu dizendo o feitiço:

– *Lunae argentum. Decipi quam fallere est tutius.*

Com o feitiço realizado, o teto do palácio ficou transparente, como se fosse vidro. Eu sabia que a mágica deveria funcionar apenas para os presentes na festa. No lado de fora do castelo, as pessoas normais poderiam ver o teto como sempre. Imaginava o que sairia na mídia se o teto do Palácio de Buckingham tivesse desaparecido durante a noite. Com certeza o fenômeno seria repercutido em todos os veículos de imprensa. Mas de dentro daquele magnífico salão todos enxergavam a lua cheia reluzente no ar. Brilhante e redonda parecendo uma bola de luz. Sedutora e enigmática das dançarinas de Tango.

O caldeirão exalava o vapor cor-de-rosa conforme ia cozinhando todos os ingredientes. O fogo era tão intenso. Podia sentir seu calor. Ou seria o calor do salão? Várias vezes vi as feiticeiras mexerem os ingredientes no caldeirão com uma enorme colher de pau. Elas faziam tanto esforço, que dava para imaginar o peso do utensílio. Percebendo a mudança do vapor na poção, o ministro voltou a falar, declarando ser a hora do encantamento. Ainda tinha um encantamento? Essa noite seria longa e misteriosa.

O homem colocou um cetro dourado dentro do caldeirão. Fiquei impressionada, pois nunca vi alguém fazer isso. Se já existia a colher de pau por que ele precisava do cetro? Ele iria mexer a poção com ele? Era engraçado o pensamento, mas verdadeiro. Em seguida tudo fez sentido. Foi como se o cetro tivesse sugado toda a poção para dentro de si, pois podíamos ouvir o barulho de sucção ecoando pelo salão. Sem ao menos avisar, o ministro jogou o cetro para o ar, fazendo toda a poção voar para o teto, que mais parecia um céu aberto. Vi que algumas jovens se encolheram num reflexo, por medo de serem molhadas. Ao menos achava que eram elas, já que tudo estava escuro. Não havia porque os homens se abaixarem. Só se os elfos tivessem medo de molhar seus longos cabelos. Contudo aquilo não aconteceu.

Ao tocar no teto, a poção virou uma espécie de brisa suave, como um vento gelado vindo do Polo Norte, nos fazendo arrepiar do dedinho até o último fio de cabelo.

Após sentir o vento, a elfa Raer Ry ho Taurë tomou a dianteira do encantamento.

– Sou Raer Ry ho Taurë, representante de todos os elfos. Agradeço a todos os presentes por essa oportunidade. É a primeira vez em anos que unimos nossa formação original. Os sete representantes da magia. Gostaria de conversar com vocês sobre isso, pois somos a nova geração que os guiará nos próximos anos. Obrigada pelas bênçãos. Em nome de todos os elfos desejo paz.

Todos os elfos presentes na sala levantaram as mãos conforme diziam:

– Nós, seres associados à natureza, seres sobrenaturais de beleza inenarrável, viemos dar doçura e bondade a todos. Iluminando-os com a magia eterna dos imortais.

A elfa aproximou-se do caldeirão. Percebi que sussurrou baixinho algo que não pude entender. Poderia ter sido um encantamento. Enquanto falava com o caldeirão, uma fumaça lilás saía de sua boca. Quando terminou sua parte no encantamento, voltou ao seu lugar e Rimon Pyloo começou a falar. Ele era quase da altura do meu joelho, por isso flutuou magicamente para que todos pudessem vê-lo.

– Sou Rimon Pyloo, mestre dos duendes. Também agradeço a todos por terem comparecido. Irei em seguida dar minha benção.

Ao contrário dos elfos, os duendes não só levantaram as mãos ao recitarem suas bênçãos, como também cantaram batendo palmas.

– Somos ligados à terra. Adoramos a alegria de nosso povo. Amamos festas, músicas e folia. Viemos celebrar as virtudes de todos os presentes.

Rimon terminou. Em seguida aproximou-se do caldeirão, como Raer Ry havia feito, sussurrando seu encantamento. A fumaça dele saiu em tom esverdeado. Em seguida, a gnoma chamada Jenny Raschib tomou seu lugar. Achei-a muito bonita em seu minivestido de gala. Só que em vez de seguir o exemplo de Rimon, ela preferiu subir no banquinho de madeira, para que todos pudessem enxergá-la.

– Olá para todos! Sou Jenny Raschib. Represento meus queridos gnomos. Vim fazer minha parte no encantamento. Por favor, repitam comigo: Nós, gnomos. Espíritos das árvores. Que sempre estamos à disposição dos homens. Viemos abençoar esta festa.

Jenny aproximou-se do caldeirão borbulhante. Não conseguia entender como ele conseguia borbulhar sendo que estava cheio de uma espécie de fumaça. Mas estava lidando com magia e tinha que ter a mente aberta para esse tipo de coisa. Quem disse que fumaça não pode borbulhar? Algum cientista? Bem... Estamos falando de bruxos e seres bem mais desenvolvidos. Percebi que Jenny murmurou suas palavras e uma fumaça marrom apareceu.

O anjo Nanael cumpria voto de silêncio, por isso outro anjo veio em seu auxílio para recitar a sua parte.

– Anjos são seres espirituais. Temos uma missão particular. Guiamos os humanos e queremos transmitir para todos os presentes o amor eterno.

Assim que o outro anjo parou de falar, Nanael moveu os lábios na direção do caldeirão, fazendo uma fumaça azul aparecer.

Lilith, a vampira magra de olhos vermelhos como o fogo do inferno, não esperou o anjo terminar seu encantamento. Assim que conseguiu um espaço, disse sua parte:

– Vou dizer sem rodeios. Vampiros são predadores da noite. Criaturas solitárias, mórbidas, condenadas ao canibalismo e a imortalidade. Somos inteligentes e sedutores. Como nada é 100% maldade, eis nossa parte.

Ela também disse suas palavras, e a fumaça preta apareceu. Bem previsível. Senti o friozinho na barriga de ansiedade aparecer, conforme os participantes iam recitando seus encantamentos. Aquilo começava a me incomodar. Afinal, Arthur era o próximo, isso significava que eu seria em seguida. O que iria fazer lá na frente? Não sabia se estava preparada para falar em público, ainda mais para todas aquelas pessoas. Arthur soltou minha mão com delicadeza, indo para perto do caldeirão.

– Fico muito feliz de poder estar com vocês nesse dia. Posso dizer que bruxas e bruxos são seres bons. Nós não cultivamos maldade, os que fazem isso não merecem esse título. Respeitamos a natureza, também a tradição. Queremos transmitir isso para vocês – disse Arthur para os convidados. – Minha mãe sempre foi uma das maiores organizadoras desse evento. É a ela que dedico minhas palavras.

Todos os bruxos presentes gritaram "viva". Arthur sussurrou como todos os outros. A fumaça laranja juntou-se aos demais no caldeirão.

Envergonhada, olhei para os lados em busca de ajuda. Tinha ficado sozinha. Todos já haviam falado, por isso agora era a minha vez. Arthur sorriu para mim tentando me passar confiança. Como se eu pudesse me sentir confiante naquele turbilhão de emoções.

Ainda com medo, segui em frente.

Era a hora.

– Muitos me conhecem apenas por nome. Hoje é a primeira vez que represento minha raça. Meu nome é Melanie Aine das Fadas. Sou Princesa de Fairyland. Gostaria de pedir para que todas as fadas neste salão abrissem suas asas em sinal de respeito às antigas tradições.

Silêncio.

Em seguida, ouvi aquele ruído familiar, em grande intensidade. Eram as asas de todas as fadas, abrindo-se por todo o salão.

Mesmo na penumbra, conseguia ver os pares de asas das mais diversas cores e formatos, abrindo-se como se estivessem dançando nas costas de seus mestres. A visão me parecia encantadora, mas o medo de falar alguma besteira não parava de me atormentar. Fechei os olhos, começando a dizer as palavras guardadas em meu interior. Aquela era a hora da menina infantil ser deixada de lado e da fada adulta entrar em ação.

– As fadas, no começo dos tempos, passavam desimpedidas pelas fronteiras dos reinos, misturando-se entre as tribos humanas que viajavam pela Terra. Elas ensinavam a essas criaturas de pouca vida a arte de sonhar. Hoje, somos seres de luz, felicidade, beleza e harmonia. Por isso, resumindo o que todos os representantes disseram, enfatizo a importância de nossa união. Ela irá mostrar que o mundo não está perdido. Juntos seremos fortes. Juntos conseguiremos. Que todos sejam iluminados pelo brilho das fadas.

Quando cheguei perto do caldeirão notei que dentro dele havia a estranha mistura das fumaças, formando bolhas quentes de vapor. Só faltava a minha. Agora não parecia sentir mais tanto medo. Em algum momento, meu coração parecia ter se acalmado.

– Pai, proteja todas essas criaturas. Guie nossos destinos de acordo com a sua vontade – murmurei.

A fumaça branca que saiu de minha boca parecia muito mais brilhante. Talvez porque a cor era mais clara, mas algo conseguia ser ainda mais bonito. O senhor Glasvack voltou a ser nosso anfitrião, mergulhando o cetro no caldeirão, jogando-o outra vez para o ar. Quando ele chegou à altura em que iria se transformar em vento, as luzes brilhantes dos lustres voltaram a acender, quase me cegando.

Com a luz ofuscante....

Minha alma se acendia.

24

Junto com o vento a música começou a tocar por todo o salão. Olhei para o lugar de onde vinha o som, percebendo músicos tocarem a melodia suave em um palco perto do minicastelo cinza dentro do salão. Pelas vestimentas pareciam ser bruxos e guerreiros. Mais uma surpresa não esperada. Arthur pegou minhas mãos, que não suavam mais de medo, levando-me para a pista de dança.

Pela música, as pessoas já recuperadas do ritual começaram a se reunir em duplas para dançar. A voz do cantor tinha um estilo diferente, dando a impressão de que fosse cantor de rock 'n' roll, mas eles tocavam uma música celta. Romântica.

A letra era muito bonita, ao mesmo tempo triste. Ela contava a história de uma mulher que viu o marido ir para a guerra. Ele acabou morrendo nela, deixando-a arrasada. Só que na música dizia-se que o homem havia virado faíscas, indo para o céu, onde todas as noites sua mulher poderia observá-lo, assim ele nunca morreria para ela. Achei lindo o romantismo da história, quase me levando às lágrimas.

Arthur percebeu que eu estava quieta. Eu não havia dito uma palavra desde que o ritual tinha acabado. Para o rapaz não dava para saber que eu prestava atenção na letra da música. Cheguei a me sentir mal por não lhe dar mais atenção. Ele se aproximou de mim, diminuindo o espaço entre nossos corpos que já era pequeno. Em um ato romântico, deu-me um beijo apaixonado, como se estivesse fazendo uma declaração de amor. Enquanto nossas línguas travavam a dança sensual, senti a moleza que acontecia com o meu corpo toda vez em que me beijava. Quando abri os olhos levei um susto.

Todos no salão brilhavam. Será que eu tinha perdido alguma coisa enquanto meus olhos estavam fechados? Acho que não. Teria de ter sido muito rápido para eu não perceber.

Olhei para a minha mão, vendo-a brilhar. O brilho parecia ser diferente, com um tom dourado. Entendi aos poucos que aquela era a cor da nossa aura refletida por nossa pele. O encantamento devia estar entrando em ação, pois até os vampiros brilhavam.

Dançamos agarradinhos como um casal apaixonado em sua primeira dança. Do outro lado da pista, notei que a moça loira em que eu havia esbarrado olhava para Arthur. Quando ela percebeu que eu a tinha visto, desviou o olhar. Mal-humorada, resolvi falar com ele a respeito.

– Conheci sua amiga – comentei, ainda encarando a mulher.

– Quem?

– A loira que está dançando com o ministro – disse apontando discretamente para ela.

– Susan? – perguntou Arthur, e eu revirei os olhos por não saber o nome dela. – Ela é uma boa amiga. Gerente da minha empresa.

– Não sabia que vocês eram assim tão amigos.

Não sei se foi o modo como fiquei zangada ou os comentários ríspidos, mas por alguma razão Arthur ficou em silêncio. Ele percebeu meu ciúme, por isso não falou nada. Continuou a me conduzir pela pista, agora me rodopiando para ver se eu ria da situação. Mas, por algum motivo mais forte que meu ciúme, eu não me sentia bem. Sentia uma forte dor em meu peito, como se estivesse sendo comprimido. Quase não conseguia respirar. Aos poucos fui notando uma presença junto a mim. Parecendo que dançava ao meu lado. A presença foi ficando mais forte. Cada vez mais poderosa. Ao ponto de eu perceber que quem estava ao meu lado...

Era meu pai.

Fechei os olhos e pedi ajuda aos bons espíritos. Fui tomada pela confusão. Por que conseguia sentir a presença de meu pai ao meu lado? O que acontecia comigo? Arthur não percebia o meu desespero, o que me incomodava. Como ele não notava isso? Sua amada não estava bem, era sua obrigação perceber. Todas essas questões passavam pela minha cabeça, fazendo uma confusão com meus sentimentos. Não conseguia raciocinar, por isso resolvi encarar meu medo: tentaria comunicação com a presença.

Precisava saber se meu pai realmente estava ao meu lado naquele momento.

– Bons espíritos. Ajudem-me a encontrar as últimas respostas que preciso nessa noite. Tenho sido uma boa filha. Preciso saber o que vai acontecer comigo – pedi em meus pensamentos.

Não sabia se eles me responderiam. A presença de meu pai aumentou ainda mais. Senti como se o salão tivesse escurecido outra vez, porém não tinha coragem de abrir os olhos. Sabia que Arthur ainda segurava minha mão. Ele estava ali comigo.

– Olá, filhinha! – revelou-se uma voz doce como em um sussurro em meu ouvido.

Ela parecia metálica, distorcida como a de Veronika, mas ainda reconhecia aquela voz. Tive vontade de chorar.

– É o senhor? – indaguei em forma de pensamento.

– Sim, minha querida! Que saudade de tê-la nos braços! Desculpe-me se lhe causei mal. Não era minha intenção.

Tinha vontade de abrir os olhos para quem sabe vê-lo, mas sabia que a única coisa que iria ver seria o salão com as pessoas dançando. Não podia ser tonta a acreditar que estaria ali parado. Meu pai habitava apenas a minha mente, não aquele mundo. Disse a ele para não se desculpar. Sempre soube que não havia sido sua culpa. Não queria que ele estivesse preso a este pensamento.

Quando senti que a presença dele ficou menos agitada, percebi que aceitava minha explicação.

Não sabia se estava sentindo a presença de meu pai há muito tempo. Nem se Arthur percebia que eu estava de olhos fechados. Fiquei petrificada durante toda a música, pelo menos me pareceu isso. Só queria poder conversar mais com meu pai. Não queria perdê-lo outra vez.

– Mel! Preste atenção. Vim em teu auxilio porque sei que está na hora de descobrir sua missão. Tenho pouco tempo para falar, por isso quero te pedir uma coisa. Não aceito "não" como resposta.

– Claro, pai! O que você quiser!

– Ao terminar a música, preciso que leve Arthur para os jardins.

Questionei o porquê disso. Não entendia a necessidade de levá-lo até lá. Na verdade, sentia medo do que podia acontecer se o levasse.

– Por favor, Mel. Preciso que faça isso por você, também por mim. Hoje descobrirá seu destino. Leve Arthur aos jardins. O resto você vai descobrir.

– Tenho tanta saudade! – choraminguei, não contendo a emoção.

Sentia meu coração em pedaços. Parecia que sangrava com a simples ideia de perdê-lo mais uma vez.

– Eu também, minha menina. Eu também. Infelizmente os criadores quiseram assim, por isso não se preocupe. Por favor, minha filha, seja feliz.

Foi como se alguém arrancasse algum pedaço de meu corpo sem autorização. Eu sentia como se essa parte tivesse faltando. A presença de meu pai desaparecia aos poucos. A de Arthur voltava a ficar mais forte. Cores e barulhos do salão também, mas eu não queria isso. Sentia uma tristeza grande.

Quando abri os olhos, desencostei a cabeça da de Arthur, vi que ele ainda não tinha percebido minha ausência. Aquilo não parecia um bom sinal. Agora era o desânimo que me assolava.

– Preciso que vá comigo aos jardins...

Arthur nem notou meu modo estranho. Apenas concordou em ir para a parte externa do palácio. Talvez ele achasse que eu queria tomar um ar, mas até eu não sabia o que estava fazendo. Apenas seguia o conselho de meu pai. Algo me dizia que todas as minhas ações e as de Arthur nos últimos dias haviam refletido no que estava acontecendo agora. Por algum motivo sentia que iria descobrir meu destino.

Ao entrar no jardim, fomos para uma região florida, onde folhas amareladas do outono cobriam o chão. Olhei para Arthur, lembrando-me de toda a nossa história. Desde o dia em que vi seu olhar na floresta. Recordava a vez em que o vi correndo na Trafalgar Square, o meu acidente, a forma como meus pelos se arrepiaram quando ele tentou me vestir pela primeira vez. Como nos divertimos juntos visitando a floresta, tocando violoncelo, indo a sede da W.I.C.C.A., revendo Stonehenge. Era muita história. Só que eu não podia me esquecer da parte negativa, dos momentos ruins em que cheguei a achar que ele não me amava. Como no desespero de seu olhar na praça, na forma como disse não saber sobre as fadas, na luta sem fundamentos e como me machucou naquela noite. Irritava-me os constantes encontros com a tal Susan, também todas as vezes que me deixava sozinha, como hoje nessa festa.

Foram muitos altos e baixos. Pela primeira vez via um lado de Arthur que não combinava comigo. Desde que nos conhecemos nunca tinha cogitado não ficarmos juntos. Agora não sabia mais se isso era possível.

Resolvi me concentrar, lembrando-me das palavras positivas que tinha ouvido nesta noite. Seguia o conselho de meu pai, então tudo iria dar certo. Tinha que dar.

Enquanto tentava me acalmar, comecei a ver vultos na minha frente como se fossem fantasmas dançando. Não sabia se deveria me assustar. Nunca fui vidente, mas sempre que estava com ele era capaz de fazer coisas diferentes. Afinal, consegui ver seu olhar na floresta.

Pelas imagens vistas, algo me dizia serem do futuro. Só podiam ser. Só que aquilo me atingia de uma forma com a qual não sabia como lidar. Não gostava delas.

Os vultos me mostravam Arthur chorando neste mesmo jardim. Em seguida, ele discutia comigo no salão do palácio. Nesta visão nossas roupas eram diferentes, também parecíamos mais velhos. Outra vez a imagem mudou, mostrando-me o rapaz bêbado, jogado em uma cama suja. Reconheci ser a cama de seu quarto, só que nessa cena havia uma mulher consolando-o. A mesma mulher de quem eu tinha ciúmes. Susan. A próxima coisa a ser vista foi ela vestida de noiva entrando na igreja. Que raiva aquilo me dava. Arthur estava no altar esperando por ela. Por ver uma igreja, percebi que era católica. Em seguida, a imagem dela grávida me atormentou, junto com a de Arthur pintando de rosa um quarto de bebê.

Todos os flashes me deixaram atordoada. Acompanhava Arthur em sua vida com outra mulher. Aquilo doía em mim, mais do que todos os cortes que ele havia feito em meu corpo. Por que ele não ficaria comigo no futuro? Como o mundo podia ser tão cruel?

Eu o amava. Contudo sentia algo em meu coração, por mais que eu não gostasse.

Percebi uma verdade terrível.

Meu destino não era ao lado de Arthur.

25

Ele me encarava. Parecia não saber o que estava acontecendo. Assim como não havia reparado no salão. Arthur apenas olhava para mim. Meu silêncio o incomodava, pois ficava me encarando com o olhar triste, provavelmente achando que eu ainda estava com ciúmes de Susan. Sim! Eu me corroía de ciúmes dela, mas agora tudo era muito, mas muito maior do que ela. Meu destino não era com Arthur. Além disso, aos poucos, eu entendia qual era o sentido de nosso encontro e a explicação da conversa de Veronika com meu pai. Só não sabia como iria contar para ele.

Quando decidi falar alguma coisa, porque não aguentava ter tudo aquilo engasgado em minha garganta, aconteceu um fenômeno muito estranho. Uma súbita ventania exatamente no lugar onde estávamos. Aquilo não podia ser coincidência. Para ser mais precisa, a ventania ocorria em volta do meu corpo.

O susto foi grande. Não esperava por isso. Meu pai não havia dito nada de ventos esquisitos. A última coisa que vi foi Arthur gritando meu nome, enquanto o vento acinzentado cobria meu corpo e finalmente o rosto.

Passou-se um bom tempo. Na verdade, não tinha noção de tempo. Mas sei que o vendaval acabou se dissipando. Quando parou senti algo errado. Parecia estar muito mais... leve. Leve? Por que será? Era como se todo o peso que carregava tivesse sumido. Evaporado. Tanto o peso da alma quanto o peso físico, pois meu belo vestido não estava mais em meu corpo. O chapéu também tinha desaparecido. De todos os meus itens, o único que ainda sentia preso ao corpo era o cordão gélido com o pentagrama e a fada.

Deveria ter uma explicação para isso. Tinha passado pela minha transformação final. Agora era uma fada completa. Havia cumprido minha missão. O que não aliviava meu coração, já que não sabia o que dizer para Arthur. Ou será que só quando eu contasse teria realmente cumprido?

Bem... Estava para descobrir.

A verdade me aguardava.

Precisava tentar explicar a Arthur, mas com tudo que estava acontecendo era difícil. Pela cara de desespero dele, eu deveria estar muito diferente. Com certeza ele queria que eu me visse. Confesso que também estava curiosa. Mas tinha medo de não gostar da minha aparência.

– *Deme supercilio nubem.*

O feitiço tinha sido dito por Arthur. Seu desespero devia ser grande. Agora havia um espelho dourado de dois metros apoiado na árvore ao nosso lado. Tive medo de olhá-lo, mas tinha de enfrentar meus demônios. O que poderia ter me acontecido de tão ruim? Como o menininho da praça havia dito alguns dias atrás, todas as fadas eram lindas. Não precisava temer.

Criei coragem e olhei no espelho.

O vestido vermelho bufante tinha sido substituído por um vestido prata colado ao meu corpo, com apenas o rasgo em minhas costas, onde minhas asas continuavam a bater. Elas também não eram as mesmas. O colorido juvenil havia se transformado em uma mistura de cores suaves. Assustei-me ao ver a diferença, mas gostei do resultado. Meu cabelo não estava mais preso na bela trança. Estava solto e muito mais comprido que o normal. Tão comprido que o sentia bater em meu quadril. Nunca tive meus cabelos tão grandes assim. Conseguia ver nele duas pontas finas saindo de cada lateral da minha cabeça. Ai, meu Deus. Deviam ser minhas orelhas. Sempre esquecia que as orelhas de fadas eram diferentes. Foi isso que assustou Arthur? Meus olhos castanhos herdados de meu pai, agora eram violetas como os da minha avó. Ficava muito diferente com eles. O mais interessante, para mim, era o objeto que flutuava perto de mim. Havia recebido minha varinha de condão.

Reunindo coragem disse:

– Cumpri minha missão.

Com os olhos vermelhos, prestes a chorar, e os punhos fechados com força, Arthur me indagou. Ele não tinha entendido nada que havia acontecido naquela noite.

– Minha missão era te conhecer, para plantar meu amor em você. Arthur, algo que aprendemos nesses últimos dias é que as fadas estão esquecidas no passado. Quase fomos extintos quando os humanos pararam de acreditar em nós por causa dos bruxos – parei de falar por um momento para medir minhas palavras. – A minha missão era me apaixonar nesta dimensão. Apaixonar-me por um bruxo que pudesse levar minha história e meu povo adiante. Esse era o nosso destino. Infelizmente, não podemos ficar juntos.

As grossas lágrimas de Arthur denunciavam que ele não iria se conformar com aquelas palavras. Conseguia ainda ver as imagens dele bêbado sendo consolado por Susan. Eu também não estava me sentindo bem. Não sabia como conseguia falar daquela maneira.

– Eu te amo, Mel! Nós nos amamos. É claro que nosso destino é ficarmos juntos.

– Arthur, você sabe que eu não posso. Tenho que governar Fairyland. Você tem uma vida aqui. Nossos futuros são diferentes. Eu vi o que vai acontecer com você, sei que no começo vai doer, mas irá se recuperar. Vi casamento, também filhos em seu futuro. Até minutos atrás eu não suportaria ouvir que outras mulheres iriam aparecer em sua vida. Agora entendo que mesmo se deitando com todas elas eu vou sempre ser a escolhida. Somos ligados. Eu nunca vou te esquecer.

– Eu não quero outra mulher, Mel!

– Eu também não quero outro homem, mas você precisa ter outra mulher. Preciso que se apaixone e gere uma nova vida. Passe para sua família a história de meu povo. Por favor, Arthur! Ajude--me a salvar essa gente.

Eu não aguentava mais ser firme. As lágrimas venciam. Nós dois chorávamos.

– Você sabe o quanto eu te amo? – perguntou Arthur.

Concordei com a cabeça. Eu sabia o quanto ele me amava. Era por isso que ele tinha que ficar.

– Promete que nunca vai me esquecer? – perguntei. – Promete, Arthur? Promete que NUNCA irá me esquecer?

Vi seus olhos. Em outro tempo eles sorriam e convidavam os meus a sorrir com eles. Nesse momento os via tão impenetráveis como uma rocha polida. Ele se aproximou e agarrou o meu rosto entre as mãos. O rosto que estava tão diferente. Seu hálito cheirava a champanhe e tinha as mãos quentes, elas me pareceram queimar o rosto. Era o corpo dele lutando para que eu não fosse embora. Acovardei-me e senti desejo de retroceder, mas ele me obrigava a ficar imóvel enquanto me encarava com olhos que pareciam ser capazes de ler os mais profundos segredos de minha alma. Isso se eu ainda tivesse algum segredo dele.

Ele me abraçava com força. O último abraço apertado. A última vez que sentiria seu perfume gostoso, também o calor quente de seu hálito no meu pescoço frio. Pegou-me pelos quadris, levantando-me do chão e quase me esmagou com um abraço apertado, enquanto a sua boca procurava ansiosamente pela minha. Beijou--me como se dependesse desse beijo para sobreviver. Não sabia se o que doía mais era saber que não iria ficar com quem amava ou saber que aquele era o nosso último beijo.

Quando nos afastamos senti que Arthur tremia. O sofrimento em seus olhos era claro, por isso tentava não encará-los. Sabia que os meus deviam estar da mesma forma. Tinha que partir para a floresta, onde Whitzy e Mithy me esperavam.

Precisava deixá-lo, mesmo no fundo não querendo.

– Carolina! – eu disse de supetão quando estava quase indo embora.

– Carolina?

– É um belo nome! – respondi.

Dei um beijo rápido, comecei a me afastar, não aguentava mais a dor da separação. Aquele era o momento em que eu dizia adeus para o meu grande amor. O amor que iria salvar toda uma geração. Todas as fadas de todo o mundo. Tudo porque ele acreditava em nossa raça. Ele iria nos tirar do anonimato.

Mesmo sofrendo, tinha que dizer adeus.

Adeus para meu príncipe encantado.

Com o coração em pedaços, dei um impulso sem olhar para trás e saí voando pelos céus de Londres com apenas um destino. Minha casa... Fairyland.

4 DE OUTUBRO

Vinte anos depois

Naquela tarde a Trafalgar Square estava muito movimentada. Mais do que quando eu a frequentava. As coisas realmente haviam mudado. Ou teria sido eu? O céu se encontrava da mesma cor cinza de sempre. Os passarinhos alegres cantavam. O som deles para mim afogava todo o resto. Aquele era o único som que eu queria ouvir. Não importava mais as conversas com as pessoas naquela praça.

Anos inteiros passaram na minha memória, como pegadas deixadas na areia, quando a maré estava prestes a cobrir a praia. Sentada na beira da fonte, como sempre, perguntava-me se alguém me observava como antes. Eu ainda fazia parte daquela praça? Com certeza não. Não me sentia mais parte daquilo tudo. Passei os olhos pelas pessoas, por Nelson em sua coluna, pelos quatro leões na base, onde pessoas tiravam fotos. Ainda não havia nada prendendo minha atenção. Até a National Gallery não me parecia tão grande. Mesmo com a multidão, tinha a impressão de um lugar vazio. Sentia-me triste por não ver mais mistério ali. Havia me apaixonado por um estranho naquele local e nunca mais pretendia repetir o feito. O coração ficava apertado ao saber que não o veria passar correndo por aquela praça. Todavia, não me sentia totalmente amargurada. Nessa mesma situação sabia que ele também tentaria salvar o seu próprio povo. Arthur havia apenas morrido para mim, mas deixado tantas coisas para recordar. Fazia esforço para não me lembrar delas.

Fiquei observando durante horas as águas inquietas da fonte, enquanto via o reflexo das nuvens. Um pássaro cortou o céu de forma selvagem. Senti a mente desviar-se para o passado.

Aquele iria ser um dia especial.

Nesses longos vinte anos só havia voltado à Terra em três comemorações do Dia das Bruxas. Voltar não fora fácil. Ainda mais logo após minha separação de Arthur. Arthur... o grande amado.

Amor. Seria ele ainda o grande amor da minha vida? Só sei que me lembro do gosto salgado das lágrimas na última vez em que nos vimos. Mesmo contrariada segui o conselho de minha mãe e fui até a comemoração do Dia das Bruxas. Nossas relações diplomáticas não andavam bem, precisava fazer o máximo de alianças possíveis, mas sabia que Arthur estaria naquela festa.

Tentei evitá-lo durante todo o tempo, mas me parecia impossível. Para onde eu ia, onde me virava, ele estava lá. Observando-me com olhos tristes, segurando sempre uma garrafa de bebida alcoólica. Perguntava-me se Susan já havia interferido em sua vida. Afinal, já haviam se passado quatro anos. Lembro-me da nossa última conversa:

"– Mel! – gritou Arthur em minha direção, enquanto ia embora da festa. – Por que ainda foge de mim? Eu te amo, droga! Por que tudo tem de ser assim?

– Quero acreditar que isto seja verdade, Arthur. Na verdade, sei que é. Eu também sinto isso, também me questiono essas coisas. Eu não gosto de ficar afastada, sinto falta de seu beijo. Antes de nos conhecermos, eu estava completamente perdida como pessoa, mas, mesmo assim, você viu em mim algo especial, me levando para a direção certa. Cumprimos nossa missão juntos, Arthur. Agora preciso que cumpra sua promessa. Vai cumpri-la, não vai?

– Eu fiz uma promessa, Mel. No curto período de tempo que passamos juntos, vivemos situações que muitas pessoas nem conseguem imaginar. Não seria mais fácil se ficássemos juntos?

– Nunca se esqueça de quanto te amo, mas você não entende. Tenho que ir, Arthur. Cumpra o prometido."

Aquele gosto salgado me perseguiu durante anos. Parei de viajar por entre as dimensões. Não podia mais vir para a Terra. Toda vez um grande pedaço de minha alma era roubada. O mesmo acontecia com a de Arthur. Nossa conexão sempre foi muito forte, nos ver era algo difícil. Contudo hoje havia sentido a vontade louca de voltar até Trafalgar Square. Por que depois de tantos anos? Aproveitando a oportunidade quis visitar meus amigos italianos. Mantinha contato com eles através de cartas mandadas por Guillian, meu primo. Na última vez os havia visitado antes de ir ao baile, mas depois da conversa com Arthur resolvi não me arriscar. Nesse dia, apenas queria ver o sorriso calmo de Vincento, a alegria de Olinda e sentir o chá gostoso em minha boca. Chá que sempre aqueceu meu corpo. Como sentia falta deles. No fundo, sentia falta da minha agitada Londres. Aquilo doía, mesmo hoje sendo outra pessoa. Mesmo sendo rainha por tanto tempo e lidando com tantas coisas grandes. Será que nunca iria parar de doer? Pode ser que não. Quer saber? Era bom. Assim eu nunca esqueceria meu antigo lar. Nem os antigos amores.

Quando me levantei para seguir ao pub, notei na rua lateral da praça a aglomeração de pessoas, na maioria mulheres e adolescentes, em frente à porta da livraria mais famosa de Londres. Apertei os lábios, encarando aquilo como algum tipo de sinal. Finalmente alguma coisa despertava minha curiosidade. Consegui avistar alguns homens no meio do mar cor-de-rosa. Achei estranho, pois me parecia se tratar de algum tipo de escritora juvenil. Algo como uma Meg Cabot. Adolescentes roíam as unhas até chegar à carne, mulheres explicavam para as filhas que logo teriam a chance de entrar. Como as pessoas costumam ficar nervosas perante celebridades, as reações eram imprevisíveis e lembrei-me da época em que era jovem. Ao sentir o gosto da ansiedade juvenil, esqueci os pensamentos.

Homens comentavam algo entre si como: "ela é muito bonita", quando não coisas mais fortes. Resolvi me misturar ao grupo, já que não conseguia muitas informações no meio daquelas conversas misturadas.

Conversei com uma menina morena, de longas tranças, que estava parada perto da porta. A única calma diante do alvoroço. Aproximei-me da garota, questionando-a sobre a fila.

– Esta fila é por causa da sessão de autógrafos do livro *A fada* – disse ela, me olhando como se fosse maluca.

Maluca. Sério, dava para ver em seu olhar, ela se perguntando: "Como essa mulher não sabe disso?" Mesmo parecendo louca resolvi insistir.

– Livro *A fada*? – questionei.

– É, moça! A autora Carolina Wales está na livraria autografando seu livro. Nunca ouviu falar dela, não? A garota chegou à lista de mais vendidos do *New York Times*.

Carolina Wales. Então Arthur seguiu o meu conselho. Aquilo não mudava a minha relação com ele, porém parecia ser uma boa notícia. Agradeci a garota, mesmo com vontade de obter respostas para todas as perguntas que ainda rondavam minha mente. Fazia tempo que não via Arthur. Estar em uma fila, prestes a vê-lo com sua filha, era inexplicável. Uma mistura de sentimentos positivos e negativos. Sentia-me uma adolescente novamente. Só sabia de uma coisa: a filha de Arthur divulgava seu conhecimento sobre fadas.

Deveria me importar somente com isso.

Aproximei-me da vitrine. No vidro havia várias marcas de mãos, provavelmente por todos quererem ver mais de perto as novidades. Mesmo cheia de livros, havia apenas um em destaque. Não tinha como não ser visto. Justo aquele que eu procurava.

Estava em cima da almofada vermelha com uma pilha do mesmo livro em sua lateral. Reparei no topo do livro o título *A fada*, também o nome Carolina Wales. Algo me chamou mais atenção. O desenho da capa era muito familiar.

Era o *mesmo* feito por Patrick, vinte anos antes. O mesmo dado de presente a Arthur. Na verdade nunca o entreguei, contudo ele devia ter achado no quarto Fairyland. Talvez em suas noites de lágrimas lamentando minha partida. Eu via o desenho em que estava sentada na fonte da Trafalgar Square. Agora existia uma alteração no original. Asas tinham sido desenhadas nas minhas costas. Ele havia ficado perfeito.

Estava feliz por Arthur ter realizado o que eu queria. Meus olhos encheram-se de lágrimas. A história de meu povo estava sendo contada pelas pessoas certas. Os seres alados eram homenageados. Senti-me bem, realizada. Nos anos passados nunca deixei de apreciar os gestos de Arthur, tal como apreciava todas as recordações dos poucos dias que passamos juntos. Resolvi então encarar meu destino, entrando de vez na livraria.

Arthur continuava a significar tudo para mim, sempre significaria tudo. Naquele ar frio da manhã de Londres percebi que nunca deixaria de pensar assim. Aproveitei o empurra-empurra para me misturar ao público, assim ele não iria me ver. Fiquei boquiaberta ao entrar. Os olhos, mesmo não podendo, procuraram os dele em busca do calor de seu olhar. Estremeci ao ver que o bruxo não percebia minha presença. Mal olhou em minha direção. Arthur estava mais velho. Havia rugas no canto dos olhos, pelos a mais no rosto, porém continuava muito bonito. Ao seu lado reconheci Susan. Notei a pequena mecha branca em seu cabelo. A idade também havia chegado; ao menos o cabelo havia crescido. Contudo quem mais me interessava era a menina de uns 16 anos, ao lado de um orgulhoso Arthur. Os cabelos dela eram longos, com fios loiros quase brancos. Os olhos eram muito parecidos com os de Arthur. O mesmo esverdeado herdado de Veronika. Seu sorriso me deixou encantada. O mesmo sorriso do pai que fazia minhas pernas estremecerem. Contudo percebi alguma vibração estranha, como se viesse de alguém familiar no grupo. Observei o homem loiro de olhos azuis intensos, parado ao lado deles. Notei que me encarava. Nossos olhares se encontraram por alguns segundos, então desviei. Não podia correr o risco de ser reconhecida.

Senti o aperto no coração outra vez ao ver aqueles olhos. Eles me traziam sentimentos antigos guardados a sete chaves. O que aquilo significava? Bem... não poderia descobrir. Entretanto, aquilo me intrigava. Isso era fato.

Os seguranças da livraria conseguiram acalmar a multidão. Organizaram, com uma destreza que eu nem esperava, a fila para os autógrafos. Arthur e a esposa foram cumprimentar os conhecidos, enquanto a menina assinava o livro. Ela estava sozinha. Essa era a chance. Infiltrei-me na multidão, chegando à terceira da fila. Tentava esconder o rosto, pois o homem loiro continuava a me encarar. Pouco tempo se passou, logo foi a minha vez. Peguei o exemplar do livro na mesa ao lado, enquanto a menina me cumprimentou animada:

– Olá! Obrigada por comparecer. Qual é o seu nome?

Insegura, respondi: “Mel”. O rosto alegre da menina endureceu, olhando séria para o papel, todavia, logo voltou a ficar alegre, indagando-me:

– Mel?

Respondi ser Melanie Aine. Fiquei preparada, esperando o ataque de histeria. Ela poderia associar a história de seu pai comigo, porém a garota continuou a sorrir com todos os dentes à mostra, dizendo que o nome era o mesmo de sua personagem.

– Muita coincidência – comentou a garota.

– Você acredita em coincidências? – questionei.

Ela ficou um tempo pensando.

– Creio em destino – respondeu séria.

O alívio foi bem-vindo. Ela tinha o dom da percepção, seu sangue bruxo falava mais forte. Tentei prolongar a conversa, pois a garota estava sendo muito simpática. Ela tinha o encanto de Arthur.

– Sabe, você se parece muito com a minha personagem – comentou a menina. – Meu pai costumava me contar essa história quando eu era pequenina. Depois de tanto ouvi-la, acabei reproduzindo-a neste livro. A personagem foi baseada em uma antiga namorada dele. Pelas características vocês seriam muito parecidas, só que você não tem a idade do meu pai.

As pessoas na fila começaram a ficar inquietas. Ninguém parecia gostar de ver a menina conversando demais comigo.

– Hoje a Mel deveria ter uns 40 anos. Bem... Ela é uma fada de acordo com o maluco do meu pai. Não vejo asinhas em você.

Carolina assinou o livro, entregando-me. Ela ria. Talvez por saber sobre a existência das fadas ou pelo simples fato de me imaginar com asas.

– Obrigada, Mel! Espero que goste do resultado!

Agradeci sorrindo. Eu sabia. Iria amar, pois o resultado era esse. Ela estava fazendo seu papel no mundo, pena não saber disso.

Quando estava quase de saída, não aguentei guardar o segredo, por isso voltei até a parte da livraria onde ela autografava os exemplares.

– Espero que tenha gostado – disse de supetão.

Ela me questionou do quê.

– Do seu nome. Fico feliz em saber que seu pai aceitou minha sugestão.

Enquanto saía do local, reparei no belo sorriso da garota. Ela compreendeu.

Saí da livraria. Senti a rajada forte de vento atingir meu rosto. Era extasiante perceber que agora ela entendia que seu papel na sociedade mágica era muito maior do que imaginava. Nos lábios havia um sorriso enigmático, no coração, o sentimento de dever cumprido.

Abri o livro e li a anotação feita por Carolina. Senti a maravilha de ter algo precioso em minhas mãos, como um editor descobrindo pela primeira vez um original que dê sentido a todos os seus anos de profissão:

Melanie Aine,

O que você procura pode ser encontrado neste livro.

Aprecie a leitura. As fadas são seres fascinantes, assim como você.

Deixe-as te iluminarem.

Com carinho,

Carolina Wales.

Menina inteligente. Conseguiu sentir algo diferente em mim. Afinal, veio da família bruxa mais poderosa da Inglaterra. Era de se esperar.

Voltava à praça, ainda não havia visitado o pub, mas meu turbilhão de sentimentos era tanto, que não sabia se ainda valia a pena. Notei uma pessoa me seguindo. Sua presença parecia forte, estranha, porém familiar. Eu já havia sentido isso hoje. A mesma presença esquisita do homem dos olhos azuis.

– Olá, meu anjo! – disse ele, atrás de mim.

Aquela voz me lembrava do passado. A mente foi aos poucos recordando.

"– Você é um anjo ou coisa assim? – finalmente perguntou, me encarando com típicos olhos azuis britânicos.

– Um anjo? Por que acha isso?

– Você parece com um... – ele disse."

Eu conhecia aquela voz do passado. Conhecia os olhos azuis britânicos. Tudo, por fim, se encaixava. Precisava compreender se havia sentido em todas as emoções que brigavam em meu peito. E se descobrisse ter me apaixonado uma vez? Uma única vez. Há muito tempo. Poderia ter encontrado este amor nesta vida? Vários pensamentos borbulhavam em minha cabeça. Todos eles malucos, porém talvez algum tivesse sentido. Eu poderia estar certa.

– Você cresceu – comentei ainda de costas.

– Você nem um pouco. Com quantos anos está?

– Vinte e oito – respondi. – Você está com uns 32?

– Na mosca! – ele disse com a mesma empolgação do dia em que nos conhecemos. – Esperava encontrar você aqui hoje. Por muitos anos a esperei, Melanie Aine. Confesso estar surpreso com sua idade. Posso saber como isso aconteceu?

A única coisa que consegui fazer foi rir. A mesma risada dada anos atrás. Virei, encarando o antigo menininho da boina azul.

– Em Fairyland só se envelhece a cada dois anos. Você me conheceu com quase 19. E sabia que é muito feio encarar desconhecidos? – cutuquei-o, relembrando seu comportamento na livraria.

– Você não é desconhecida. Nunca foi. Nunca será...

Patrick apenas sorriu. Descobri que sentia saudade de seu sorriso e não sabia se aquilo era bom. Mesmo sendo uma mulher madura, temia me envolver com aquele... menino... homem.

Seguimos andando pela rua até chegar à nossa praça. Sentamos no mesmo lugar onde nos conhecemos. Na época ele era um menininho tímido, encantado com minha beleza. Hoje, havia se tornado um homem. Um homem bonito e sedutor ao meu lado.

– Diga-me Patrick. Como sobreviveu à escola para crianças superdotadas?

– Não muito bem! – ele disse sorrindo. – O povo de lá está muito bravo com você!

– Comigo?

– Sim, você fez todo mundo de lá acreditar em uma mentira...

– Como assim?

– Angelina Jolie não era uma fada.

Eu tive de rir. Alto.

– Ou talvez vocês não fossem tão superdotados assim... – retruquei.

Ele gargalhou comigo, como duas vozes distintas unidas por um mesmo sentimento.

– Pois é! Eu poderia ter sido qualquer coisa. Sempre fui muito inteligente, porém minha vida mudou desde nosso encontro. Sempre quis reencontrá-lo, mas você não podia ser desse mundo. Passei noites olhando meu desenho até perceber o idiota que estava sendo. Quando entendi que era de fato uma fada, resolvi pesquisar. Hoje sou o maior especialista em religiões de quatro universidades importantes. Especializei-me em certa criatura. Saberia me dizer qual?

Eu saberia. Mas não acreditava.

Ouvi o som de sua risada outra vez, provavelmente pela minha expressão de espanto. Então o menininho da praça, hoje, era especialista em cultura feérica. Ele havia me procurado por todos esses anos sem eu nem me lembrar do nosso encontro até cinco minutos atrás.

– Fiquei surpreso com sua idade. Nunca ouvi nada a respeito. Bem... Só fui saber sobre seu paradeiro quando, há alguns meses, o senhor Wales me telefonou. Ele explicou como conseguiu meu contato e queria falar sobre o desenho que eu havia feito em minha infância. Fiquei muito irritado em saber disso. Você deu o meu desenho para outra pessoa. Pior, para um homem, Mel!

– Havia dado o desenho por achá-lo especial...

– Você não está falando sério – ele disse, espantado.

– O mais sério que alguma vez já falei.

Ele se calou. As minhas palavras foram ditas com tanta sinceridade que ele sabia que não as dizia apenas por simpatia.

– Se eu não o houvesse presenteado com o desenho, você nunca teria me localizado – tentei reverter o jogo.

– Espertinha! Você não me engana. Sei sobre o romance de vocês, Arthur me contou. Ainda não me esqueci dele choramingando seus problemas em meus ouvidos. Ele é patético, sabia?

Arqueei a sobrancelha. Entendia de onde vinha a frustação de Patrick, mas ele estava agressivo demais. Lembrou-me da fase sombria de Arthur.

– Ele se acha um apaixonado. Um amante proibido. Acho isso a maior mentira do século – argumentou Patrick. – Arthur fez muitas coisas ruins em seu passado com você. Que homem dizendo amar consegue machucar a mulher de sua vida? Ele nunca se interessou em saber mais sobre você. Eu desde o início mostrei meus sentimentos. Disse estar apaixonado...

– Você afirmou que não era por mim... – eu devolvi entre um sorriso.

– E, se você acreditou, realmente deve mesmo ser eu o superdotado de nós dois.

Voltamos a rir. Um riso diferente, que parecia esconder uma parte da conversa que parecíamos querer evitar. Mas não podíamos.

– Percebi algo em minha conversa com Arthur – ele disse, em tom de um homem que fala sério.

– O quê? – questionei.

– Ele nunca pediu para ir com você a Fairyland. Nem lutou por isso.

Era verdade. Eu sabia disso. Sempre fiquei agoniada pensando em por que ele nunca pensou nisso. Arthur desde o primeiro dia demonstrou não acreditar em fadas. Nunca pediu que o levasse até lá. Sentia como se uma bola de beisebol estivesse entalada em minha garganta. As mãos suavam, os olhos ardiam de vontade de chorar. Patrick havia percebido algo há anos me atormentando. Arthur nunca pedira para ir comigo. Por que aquele rapaz me torturava com isso? Eu já havia entendido. Arthur não era meu verdadeiro amor. O que mais queria de mim?

– Não fique se torturando com isso, Melanie! Você sabe que nunca cumpriu sua missão...

Ele parecia ler minha mente. Nossos papéis haviam se invertido. Não contive as lágrimas. Agora elas me lavavam o rosto, morrendo em minha boca. Estava tudo acabado; tudo menos as recordações e essas eram mantidas com carinho infinito. Eu sabia. Minha missão não era só achar Arthur, fazendo-o falar sobre as fadas ao mundo. Sempre me senti sozinha no meio de uma multidão. Em Fairyland eu nunca acharia alguém para me completar. O objetivo final era eu ter voltado com um companheiro ao meu lado. Essa pessoa não era Arthur.

Por todos esses anos minha mãe insistia em ter alguém me esperando. Essa pessoa iria me amar, sendo o pai dos meus futuros herdeiros. Eu nunca acreditei. Achava que a linhagem das fadas iria por fim acabar. Uma pena. Meu pai havia feito de tudo para isso não acontecer. Olhando Patrick, o menino transformado em homem, percebi algo. Ainda havia uma chance.

– Sua missão não era apenas fazer seu povo ser reconhecido – disse, ainda parecendo ler meus pensamentos. – Era encontrar sua alma gêmea. O homem que a seguiria não importasse aonde fosse.

– Como você conseguiu chegar a essas conclusões? – perguntei ainda chorando.

Como sempre ele era muito esperto.

– Porque há vinte anos espero por essa oportunidade. Nesses anos decorei tudo que iria lhe falar quando a encontrasse. Eu te amo, Mel!

Percebendo, Patrick se aproximou, segurando meu rosto molhado em suas mãos. Os dedos suaves me transmitiam o amor reconfortante. Fechei os olhos, envolvendo-o em um abraço apertado, daqueles que não dá vontade de soltar. Concentrei-me em sentir sua pele enquanto nossos corpos se uniam. Tudo ao redor foi perdendo a importância. Não havia nada mais além de nós dois. Aquele era o momento em que a fada se encontrava com o amante. Em que eu pertencia a alguém. Era ele que iria cuidar de mim. Patrick me amava. Não existia passado. O que importava era o futuro. Nada além daquele momento.

Sentia o calor do seu corpo, quando as línguas se encontraram no beijo. O beijo que ele almejava há muitos anos. Era irônico pensar nisso, o conheci tão pequeno, mas nossas almas eram antigas companheiras.

Ele se afastou do meu beijo. Meu coração batia em um ritmo agitado, querendo fugir do peito. Não estava mais apertado como me sentia com Arthur, estava leve.

– Mel, você me levaria junto contigo para Fairyland?

Aquele homem era lindo. Ele era meu. Hoje me sentia mulher. Sabia o significado do amor verdadeiro. Estava pronta para experimentar esse sentimento outra vez. Queria mergulhar nessa nova aventura. No mar de possibilidades, onde não iria me afogar, pois ele estaria sempre ao meu lado. Esperava que aquilo não fosse mentira.

– Eu te amo. Sempre amei – sussurrava Patrick.

Dessa vez ele não abaixou a cabeça de vergonha. Patrick me encarava em busca de respostas. Confiante, faria tudo para ficar ao meu lado.

Nós dois estávamos diferentes, fortes, maduros. Ao ter seus lábios grudados nos meus, senti o sabor da paixão. Aquele beijo era diferente. Os sininhos de que minha mãe me contava tocaram. Apenas virei-me, dando alguns passos.

Em vez de me ver indo embora, senti sua voz me chamando. Patrick nunca me deixaria ir. Ainda virada, estendi minha mão esquerda, como se segurasse uma mão invisível. Em seguida senti a mão verdadeira, forte, confiante, segurando com firmeza a minha.

Aquele era um dia especial, diria Vincento.

Londres tinha as mesmas histórias. As mesmas pessoas. A neve logo cairia pela cidade. Contudo meu destino tinha mudado.

Eu não era mais a mesma.

Entramos no táxi em direção à floresta. A mesma que já foi meu abrigo, meu lugar de refúgio, o local de respostas, momentos de amor. Meu esconderijo secreto sendo revelado. Outra vez abrindo minha alma.

Ao darmos o passo final, nossas roupas se modificaram em um passe de mágica. Não sentíamos mais o frio de Londres. Agora era um calor vulcânico, invadindo ambos, quase penetrando na essência. O calor do lugar mais mágico de todas as dimensões. Aquele que ninguém deixaria de admirar.

Ao admirar o castelo em nossa frente, o extenso gramado e as flores exóticas, enfim pude dizer:

– Bem-vindo a Fairyland, meu amor...

Outra vez na Escuridão

História baseada no romance
O inverno das fadas

Muito antes de os humanos conviverem com computadores, internet, celulares e televisões, sábios pressentiam quando uma estrela nascia. Uma força diferente pairava sobre a terra, indicando que alguém muito especial iniciava uma incrível jornada. Pouco importava se os chamassem de bruxos, malfeitores ou criaturas negras; para os sábios, sentir o poder de uma nova estrela era uma bênção inigualável. Mal sabiam que outras criaturas mágicas também sentiam a força pulsando no mundo, com a impetuosidade do coração de uma mulher apaixonada. Seres poderosos, perfeitos e inteligentes, mas que usavam essas estrelas para brilharem apenas em um céu: no seu céu particular. Ato egoísta para criaturas tão superiores. Insensível, talvez, mas justificável, pois possuir uma estrela como essa significava deter a mais pura energia do mundo. Quem não gostaria de ter tamanho poder em mãos?

Sophia pressentiu quando Jade nasceu, pelos meados de setembro, no subúrbio de uma enevoada Londres. *Pelos deuses, como ela é poderosa*, pensou no momento em que percebeu a energia daquele ser invadindo as veias como pura heroína, proporcionando um êxtase tão intenso, que fora capaz de deixar seu corpo pálido e curvilíneo arrepiado. Aquela humana era perfeita. E ela seria sua.

Precisava esperar alguns anos para ver se aquela criança realmente brilharia. Muitos humanos talentosos jogavam fora os dons concedidos pelos deuses, e a fada negra Sophia não podia se dar ao luxo de perder anos enfeitiçando a garota por nada. Sendo considerada uma Leanan Sídhe, quase uma fada amante, Sophia recarregava as energias ao encantar e seduzir jovens talentos perdidos pelo mundo. Jade tinha grande potencial para ser um desses talentos, que depois são representados pelas marcas negras espalhadas no peitoral e braços da Leanan Sídhe. Marcas significativas, pois retratavam as vidas dos humanos envolvidos e inspirados por aquela mulher.

Humanos mortos pela maldita fada.

A Leanan percebeu o dom sendo exercido pela garota aos poucos. Quando ouvia jazz, qualquer balançar de quadril vindo dela já a deixava excitada, como se dependesse daquilo para viver. Só faltava descobrir como o dom se manifestaria na artista. Jade ainda não mostrava sinais concretos de ser uma dançarina, apesar de o ritmo daquela música fascinar tanto a jovem humana de longos cabelos negros como a noite, bochechas salientes e lábios rosados tão carnudos, que Sophia se segurava para não tomá-los naquele segundo.

Na adolescência, a fada notou um avanço na magia. A garota decidiu começar a tocar guitarra, e dedilhava as notas no instrumento como os mais exímios músicos. Aquilo era pura arte. Mas ainda não parecia ser o bastante. Não para uma Leanan Sídhe. Afinal, se todos os humanos que tocassem algum instrumento fossem inspirados por uma musa, não haveria metade da população viva; todos teriam morrido sugados pelas Leanans. O engraçado é que ninguém perceberia. Também, quem conseguiria notar um padrão em mortes como aquelas? Algumas das vítimas não suportavam a perda de uma fada e se atiravam de enormes edifícios ou davam tiros certeiros na cabeça. Alguns se drogavam até a morte, outros eram achados congelados ao relento em alguma parte do mundo. Todas as mortes pareciam não ter sentido. Mas a Terra era um lugar sem sentido. Não havia um padrão. Apenas mortes. Uma grande carnificina.

Os anos foram passando e Jade crescendo, tornando-se uma mulher tímida, sem uma beleza notável ou um grande talento aparente. Pelo menos era essa a opinião que seus pais guardavam para si. Mas Sophia entendia mais. Sabia mais. Estava claro para ela, pois sentia o dom na garota. Jade seria algo especial no mundo. Traria um tempero, um tom sexy e complicado para gerações. Sim. Ela moveria gerações. Para a fada isso se tornava evidente. E por que não seria? Um brilho daquele tinha de ser especial. Tão especial como a joia rara que havia inspirado o seu nome.

Em pouco tempo a timidez de Jade foi passando. Ela foi se revelando nos palcos improvisados de boates *undergrounds* e agitados pubs londrinos, comemorando cada apresentação com brindes e mais brindes. Queria se destacar e mostrar sua arte para o mundo, mesmo que ele se resumisse a apenas algumas casas noturnas. Na infância, havia formado uma banda de brincadeira, porém foi na juventude que realmente mostrou o dom, quando começou a cantar profissionalmente com o parceiro de *soul music*. Assim o mundo ouvia sua voz. E como era linda. Parecia um anjo de timbre embriagado, sedutor, até mesmo triste, quase enigmático. Nessa época aquela voz não transparecia dor. Seria só mais tarde que isso iria acontecer? Sophia descobriria em pouco tempo, até porque ela seria também responsável por isso.

A vida de um artista nunca era fácil. Para conseguir alcançar o sucesso era necessário trabalho árduo e muitas noites em claro para se criar algo mágico. Jade sentia precisar de alguma coisa mágica. Ainda não tinha muitas expectativas de atingir o estrelato desejado na alma. Precisava de uma dica do destino para acreditar mais em sua capacidade, em sua voz. A fada negra não podia interferir no talento dela. Aguardava ansiosamente pelo momento certo de enfeitiçá-la. E o momento chegava, pois em pouco tempo Jade fecharia contrato com uma boa gravadora inglesa para produzir o primeiro álbum. O produtor que escutara as demos ficara impressionado com tão fenomenal voz, embalada em jazz e blues. Não havia nada parecido no mercado, pelo menos, que fizesse sucesso. E aquela mulher dava a impressão de ser diferente o bastante para se destacar. Ele sabia o tesouro que tinha nas mãos e iria utilizá-lo.

O álbum seria lançado apenas no Reino Unido, mas mesmo assim ela se sentia feliz por ter a oportunidade de se expressar. Jade se dedicaria ao máximo para criar músicas capazes de inspirar pessoas a mudarem de vida, a aproveitarem as chances de transformá-la, assim como Jade estava fazendo. A oportunidade de ter seu som gravado era um ato de mudança em uma vida pacata, quando o tédio já pairava sobre a alma atormentada. Jade trabalharia para que tudo corresse bem, tinha que dar tudo certo.

E assim começou a produção de um CD mais forte do que ela mesma e mais forte que sua voz. Algo que ao ser lançado na terra da rainha já alcançou as paradas, mesmo de uma forma tímida, como ela própria costumava ser. Estava na hora da Leanan Sídhe fazer seu papel na história da futura líder das paradas britânicas.

Passou-se um tempo e os *singles* apareceram no mercado, mas ainda não tinham o tempero necessário para atingir o ápice. Sophia precisava desse diferencial, para que Jade chegasse ao momento de sua vida ideal para a fada recarregar as energias. Mesmo estando envolvida com outro artista, a Leanan resolveu inspirar a cantora a aproveitar o sucesso absoluto. Um ser inspirado por uma Leanan Sídhe tinha de ser muito grato pela oportunidade. Aquela era uma chance em um milhão.

Foi em uma noite chuvosa de quase transbordar a fonte da Tralfagar Square, que Sophia resolveu aparecer para Jade. As gotas pareciam retratar as futuras lágrimas da garota. Porque a cantora iria chorar, e muito, quando percebesse não ter tempo para aproveitar o sucesso. Será que ela ligaria tanto para isso? No fundo, Sophia sabia que sim.

Jade dormia profundamente, esparramada de uma forma engraçada na cama coberta por lençóis pretos de seda. Uma escolha não muito inteligente para uma noite fria em Londres. Mesmo com o aquecedor ligado, dava para ver os mamilos ouriçados debaixo da única peça de roupa no corpo, uma camiseta preta velha de gola arredondada de um time de futebol britânico. Ela não gostava de futebol. Dava para perceber isso claramente, ao se analisar o rosto manchado de maquiagem escura da noite anterior, o pufe do cabelo ainda com os grampos, as diversas tatuagens espalhadas pelo corpo e o cheiro de vodka pairando no ar. Dava certo dó de acordá-la, mas aquele era o momento. Sophia sentou-se delicadamente na ponta da cama, tentando não fazer barulho. Estava na forma feérica, então as asas coloridas batiam em um ritmo suave e as marcas negras pelo corpo se movimentavam levemente por estarem perto de Jade. Usava um vestido curto prateado revelando as pernas grossas, e os cabelos loiros chegavam à altura da cintura. Aquele era o instante em que Jade acordaria e veria em sua cama a mulher mais linda do universo. Veria uma fada esperando por ela. Quem não gostaria de acordar com uma visão dessas? O mundo inteiro provavelmente adoraria.

– Que maldição! Quem é você? – questionou Jade, alterada, ao acordar e dar de cara com a Leanan Sídhe sentada tranquilamente.

A fada apenas sorriu. Jade não entendeu por que, mas sentiu-se bem ao ver o doce sorriso. Isso não mudava o fato de que havia uma pessoa (ou seria coisa?) estranha em seu quarto.

– Estou ainda sonhando ou tomei algo forte demais ontem no bar? – continuou a perguntar.

Sophia tentou se aproximar da jovem para ver se o magnetismo aumentava. Num reflexo, a garota se encolheu.

– Calma, querida. Não existe razão para ficar assim. Não precisa ter medo de mim – disse Leanan. – Sou apenas uma amiga.

Jade manteve-se encolhida no canto da cama, como um ratinho preso em uma gaiola.

– Na verdade, eu não tenho que ficar calma, não! Não te conheço. Não sei nem o que você é. Preciso acordar, pois esse sonho está ficando cada vez mais bizarro.

– Isso não é um sonho, Jade. Sou tão real como qualquer uma de suas músicas...

– E o que você sabe sobre minha música? – interrompeu rispidamente a cantora.

– Mais até do que você mesma, porque sei aonde ela vai chegar, e, na verdade, serei a responsável pelo destino dela.

– Esse papo está parecendo de maluco.

– E não somos todos malucos? – retrucou Sophia.

A fada parecia ter razão, pelo menos Jade sentia isso. Insanidade era algo que caminhava com ela desde pequena. Se havia chegado ao ponto de se considerar louca por estar vendo a fada negra sentada de pernas cruzadas em sua cama, era um sinal de que finalmente abraçava a loucura. Mas o que isso poderia fazer com ela? Já se sentia no íntimo uma pessoa diferente. Anormal. Nada daquilo seria estranho.

Aos poucos foi ficando mais à vontade com a alada. Enfim, o poder da Leanan Sídhe começava a fazer efeito. Jade rendia-se aos encantos de Sophia, sentindo-se seduzida por cada som melódico que saía da boca angelical da fada. Pareciam palavras sincronizadas, como se em vez de falar ela cantasse uma canção de ninar, daquelas que só de ouvir uma nota já se sente sono. Um soninho gostoso e confortável de uma soneca depois do almoço... E a feérica já começava a se sentir excitada pela mulher a sua frente que vestia somente uma camiseta, deixando as longas pernas à mostra. Imaginava Jade dançando em um palco ao som de uma de suas músicas. Da nova rainha do jazz pop.

– Então você não é uma alucinação e também não veio tentar me matar? – perguntou Jade, mais calma.

– Na verdade, se eu quisesse te matar eu não tentaria. Eu conseguiria – comentou Sophia, ainda sorrindo. Uma cena perturbadora.

– Mas, não. Não sou uma alucinação, fantasma ou qualquer coisa parecida. E também não vim te matar agora.

– Então por que está aqui? – questionou a jovem.

– Por que não estaria? – Sophia retrucou.

A resposta fez Jade se sentir completamente feliz. Alguém dava importância para sua existência. Isso era uma novidade para a garota complexada que no fundo se sentia muito solitária. Padrão básico para um artista que provavelmente seria seduzido por uma Leanan Sídhe. A dependência emocional de Jade fazia tudo ficar mais fácil para Sophia. Os vícios da garota também ajudavam no processo.

O contato começou a se tornar mensal. Sophia ainda não precisava da garota, mas já queria dar o gostinho de poder para a gulosa cantora saborear. Ela sabia o quanto uma atenção especial mexia com Jade, e isso já se tornava um bônus. Quando a ajuda dela fosse necessária, saberia criar músicas incríveis. O esforço seria recompensado.

– Eu não entendo – disse, confusa, a garota. – Por que não pode passar mais tempo comigo?

– Já te disse isso milhares de vezes.

– Eu sei, mas não quero aceitar. Preciso tanto da sua companhia, do seu carinho. Você é muito especial para mim, Sophia!

As duas se encontravam novamente sentadas na cama bagunçada. Ao ouvir a declaração, a fada abraçou a mulher com força, parecendo uma mãe confortando um filho. Pegou o rosto dela com as mãos geladas e a olhou nos olhos. Não teve como as duas não sorrirem. Era uma troca de carinho muito intensa, como se há anos esperassem por aquele olhar de compreensão.

– Tenho assuntos a resolver e pouco tempo para me dedicar a você. Mas tudo vai dar certo.

– Você ainda vai poder ficar comigo? – questionou a garota, as lágrimas borrando mais uma vez o delineador preto.

– Alguma vez eu disse que não ficaria?

Jade sorriu. A presença da fada fazia sentir-se segura. A nuvem negra que existia na mente se espalhava aos poucos. O coração apertado como se estivesse amarrado se afrouxava.

Tudo graças à mulher. Graças à incrível fada.

As duas ainda não tinham um contato físico maior. Existia uma relação de carinho, afeto, quase uma ligação maternal. Sophia tentava se controlar para não iludir a garota, pois não queria começar a sugar a energia de Jade antes da hora. Mas a cantora era tão sedutora, tão sexy, com atitudes malucas e roupas provocantes. Era muito difícil se segurar. Contudo, em outros momentos Sophia se sentia aliviada, porque o carma carregado pela cantora era grande. Sentia uma energia negra em volta dela, uma sensação de desespero, de tristeza. Não era raro vê-la chegar em casa cambaleando após *shots* de tequila e fileiras de cocaína. Não que aquilo fosse anormal entre seus escolhidos. Muitos artistas se viam penetrados nesse mundo sombrio, mas Jade parecia buscar refúgio nas drogas por solidão e não revolta, como os outros. Sophia chegava a ficar com dó, mas ainda mantinha outros humanos seduzidos em mente.

– Por que minha música não estoura nas rádios? – questionou Jade a fada enquanto caminhavam pelas ruas góticas do bairro de Camden Town.

Quem visse de longe acharia que a mulher de vestido curto e decotado e batom vermelho-cereja era maluca ou estava drogada, pois dava a impressão de estar falando sozinha. Camden Town podia ser o bairro dos punks, mas ainda era frequentado por muitos turistas e pessoas que não eram alternativas. Ver alguém conversando sozinho pelas ruas era comum.

– Porque tudo tem seu momento – respondeu a fada.

– E quando o meu vai chegar?

A Leanan estacou o passo e segurou a mão esquerda da garota com força.

– Quando você parar de perguntar e começar a agir – respondeu.

A mão dela endureceu e Sophia pôde ver os lábios comprimirem. Havia tocado em um ponto fraco de Jade. Normalmente nesses pontos que, ao serem mexidos, motivam um humano a agir. Talvez aquilo pudesse fazer Jade acordar para o mundo. Principalmente para a carreira.

No dia seguinte, no quarto cheirando a cigarro e bebida derramada, Jade tomou uma decisão: a partir dali começaria a trabalhar. Já fazia um bom tempo que não cantava com o parceiro e muitos meses haviam passado desde que lançara o primeiro álbum. Se tinha a intenção de fazer algum sucesso verdadeiro precisava agir. A fada estava certa. Mas Jade cogitava muitas vezes se havia ficado louca ou se os remédios e drogas usados estavam desprogramando seu cérebro. As visitas da fada eram maravilhosas, mas no fundo sempre se questionava se seriam reais. Se tudo não passava de um sonho. Aproveitou as milhares de perguntas explodindo na cabeça para transbordar todos aqueles sentimentos no papel. Precisava compor músicas divinas. Músicas capazes de agradar uma fada. A sua fada-madrinha. Se atingiria o objetivo, ainda não sabia. Mas desejava ardentemente receber um carinho da mulher que amava. Sim... Jade já amava a Leanan Sídhe.

A mãe da garota percebia que ela consumia mais drogas a cada dia. A filha parecia estar em uma fase criativa e esforçava-se para compor novas músicas, mas todas as noites eram regadas a bebidas e substâncias mais fortes. Os pais cogitavam se ela deveria ser internada em uma clínica de reabilitação, e todas as vezes em que tentavam conversar sobre isso com a filha, ela fugia do assunto. Jade achava que não aprenderia nada que lhe pudesse ser útil em uma escola ou na terapia; somente os uísques degustados todas as noites eram capazes de aguçar a sua criatividade, fazê-la reencontrar a escuridão e assim conceber um novo álbum.

Foram meses escrevendo páginas e páginas de materiais, muitas vezes descartados definitivamente, outras vezes, reaproveitados. Isso fazia parte do duro processo de criação, e tudo piorava com a ausência da fada. Mas Jade tentava se inspirar na presença dela e sonhava todas as noites com futuros beijos naquela boca que parecia ser macia e quente como o sol de domingo. A cantora criava músicas dançantes e ao mesmo tempo depressivas, que passavam ao ouvinte a impressão de se estar em um filme antigo, cheirando a charuto e champanhe. Muitas vezes Jade brincava com o violão e, entre um gole ou outro, tentava criar mais alguma frase de impacto. No final, sempre conseguia. O álbum criava-se e ficava perfeito. Perfeito como aquele momento, à noite, quando Jade fechava os olhos e sonhava com a fada.

Em Annwn, mundo onde as fadas reinavam, Sophia podia sentir os ritmos da música da garota batendo no coração. Jade pedia por ela. Muitas e muitas vezes. Precisava visitá-la, porque já não dava mais para fugir da ânsia. Jade a queria mais do que qualquer coisa, e isso ficava claro em cada refrão criado. Aquele seria um CD magnífico. O mais interessante era que Sophia o inspirava sem nem mesmo ter se esforçado para seduzir a garota. A garota era de uma personalidade tão volúvel, que com poucas conversas e abraços Sophia havia conquistado aquela alma. Agora seria dominá-la e fazê-la sua por completo. Possuindo cada centímetro do corpo dela, receberia uma explosão de sentimentos, na maioria deles de excitação. A Leanan necessitava daquilo. Do amor da cantora melódica.

O pôr do sol de mais uma semana chegava, cobrindo o céu de sangue, deixando Londres com um tom avermelhado deslumbrante. Jade saía toda produzida, mas ainda cheirando a tabaco, em direção a uma casa noturna onde iria cantar. O salto do escarpim preto enroscava nos vãos de pedras da calçada. Ela quase tropeçava, mas não ligava. Cambaleando, entrou no estabelecimento abafado, conforme a noite escura e ao mesmo tempo prateada de estrelas dominava a terra de Sherlock Holmes.

Encontrou o local já quase lotado de fãs esperando para ouvir sua música. Aquilo, por alguma razão estranha, não a deixava feliz. O grupo de cem pessoas não parecia ser o suficiente para ela. O que mais a deixava triste era o fato de Sophia não estar a seu lado, caminhando sensualmente, arrastando o vestido pelo chão grudento pelos drinques derramados. Sentia o estômago revirar-se. Por que a fada a deixava? Ela já estava escrevendo novas músicas. Canções inspiradas nela. Não tinha motivo para Sophia a deixar.

O show começou. As luzes fortes do local abaixaram, e uma penumbra romântica recaiu sobre o ambiente, deixando o rosto do público semioculto. Os músicos que a acompanhavam vestiam trajes sociais negros, elegantes. Ela vestia o mesmo estilo de sempre, tão apreciado pelos fãs. Até copiado por algumas mulheres. Jade precisava começar a cantar. Entrou no palco, quase caindo por cima da bateria, pois a mente rodopiava por ter tomado uma dose de absinto antes de entrar. Os fãs perceberam e uivaram como lobos famintos, apreciando o lado perverso dela. A cantora deu um sorriso safado, rasgado no rosto fino, e ao aproximar-se do microfone todos ficaram em silêncio. O anjo da morte começava a cantar. E do meio do palco escuro, ela pôde vislumbrar, nos primeiros minutos da música, uma figura fosforescente bem no meio da multidão, irradiando luz para todos os lados. Só havia uma criatura com tamanho brilho.

Sophia havia aparecido para o seu show.

Aquilo fez com que Jade engasgasse no meio da canção, mas ao ouvir um comentário rude do baixista, continuou cantando. O peito explodia em tamanha emoção, seu corpo ardia de desejo, e Jade sentia ser a hora. O dia tão desejado. Será que realmente Sophia seria dela? A fada estaria procurando finalmente por ela? Pelo sorriso estampado na face de Sophia, parecia que sim. Afinal, ela havia aparecido. Sua fada estava lá para vê-la cantar.

Jade movia-se no palco e via Sophia imitar os gestos no meio da multidão. Não entendia como ninguém naquele local conseguia perceber a energia. Para ela a força parecia mais do que evidente, e tinha de se segurar para não se jogar do palco na direção dela. Queria tanto abraçá-la, render-se aos beijos molhados e quentes, e poder explorar cada marca negra do seu corpo. Talvez houvesse tempo mais tarde para fazer tudo isso, mas ainda tinha toda uma noite pela frente. Então resolveu seguir o conselho de alguns artistas de sua era e "fez amor com o público" como diziam. Gemia alto durante a música, suspirava, puxava o próprio cabelo embaraçado e ajoelhava-se no palco, como se estivesse em algum motel escondido em uma noite de amor. Os fãs deliravam, dançando no ritmo sensual e pedindo mais e mais. A Leanan não parava de sorrir, vendo o espetáculo que Jade armava para ela. O corpo estremecia a cada segundo e sentia-se sendo preenchida. A questão era se não seria energia demais. Jade em seus momentos de empolgação quase dava sua alma para a Leanan Sídhe e aquilo não era bom. Se decidisse, Sophia poderia roubá-la cedo demais.

As músicas foram rolando, e a madrugada reinava, este era o momento em que os filhos da noite se encontravam nos bares para se divertir. Sophia dançava remexendo o corpo como se estivesse conectada à voz de Jade. Os delicados pés davam passos tímidos para os lados. Os joelhos e a cintura movimentavam-se como se estivesse em um zigue-zague sedutor, parecendo uma cobra naja ao ser encantada por um flautista. Deixava-se levar pelo som, os olhos fechados e a boca murmurando a letra criada pela mulher encantada. A cascata de cabelos platinados estava jogada por cima do ombro e já grudava pelo suor em seu decote por estar se entregando para a pista de dança. Jade apenas observava, morrendo de desejo em cima do palco. Sabia que presenciava um momento histórico. O instante em que uma Leanan Sídhe dançava sua música. Ao acabar a última nota, a cantora observava Sophia sorrir para ela, como se aquele fosse o momento de mais orgulho de sua vida.

Mal ela sabia ainda que muitos momentos assim estavam por vir.

– Você estava incrível – disse Sophia ao se aproximar do palco após o show.

Jade suava e mostrava-se um pouco sem fôlego, provavelmente pelo cansaço após cantar tantas músicas, mas também pelo conteúdo do copo que tendia a virar durante as músicas.

– Não. *Você* é incrível! – retrucou ela.

As duas sorriram, e a quantidade de sentimentos revelados deixava claro o quanto precisavam se explorar, descobrir os pontos mágicos do corpo de cada uma.

– Vamos sair daqui? – sugeriu a Leanan, esticando a mão para a garota.

– Conheço um lugar... – respondeu ela.

Segurando a mão da fada discretamente para não chamar a atenção de ninguém na casa noturna, Jade foi desviando-se das pessoas até chegar à porta de funcionários. Lá encontraria o corredor que dava para o camarim.

Quando estava quase no local desejado, o guitarrista apareceu saindo da porta ao lado.

– Pronta para comemorar? – questionou o rapaz animado.

Assustada, a mulher respondeu:

– Mais tarde. Preciso de um tempo sozinha. Mas divirta-se.

– Estou vendo que entrou em outra fossa – comentou o guitarrista. – Cuidado com o que apronta.

Após dar uma dura na jovem, o homem saiu pelo corredor voltando à porta que levava à casa noturna. Jade levou a mão direita ao coração, sobressaltada. Era estranho falar com alguém sabendo que a fada encontrava-se ao seu lado.

– Quase fomos pegas – comentou esbaforida.

Sophia deu uma gargalhada divertida, achando graça do comentário.

– Nós não temos como ser pegas, sua boba – disse ainda rindo. – Esqueceu que só apareço para você?

Jade não achou graça.

– É complicado me acostumar com essas esquisitices – comentou bufando.

– E elas não valem a pena? – rebateu Sophia.

Ao ouvir aquela pergunta, a garota percebeu como era idiota toda essa preocupação com a opinião dos outros. Sempre fazia isso. Estava com *ela*, e finalmente a sós. Para que se preocupar com sanidade?

A Leanan abriu violentamente a porta do minúsculo camarim. Havia uma pequena bancada branca com algumas coisas espalhadas por cima, um enorme espelho de fora a fora da parede e uma banqueta desgastada. Mal a cantora entrou e Sophia já a puxou para dentro, trancando a porta em seguida. E com um movimento um pouco mais forte a trouxe para perto, deixando alguns centímetros de distância entre suas bocas. Jade engoliu a seco, pois entrava em choque. O momento realmente aconteceria. Agora não tinha certeza se estava preparada para aquilo. Mas quem sabe nunca estivesse?

Em uma expressão de comprometimento, Jade segurou o rosto da Leanan como ela havia feito no passado. As duas se olharam ternamente, e mais nada no mundo importava enquanto aquele momento durasse. Ambas sentiam a necessidade de se beijarem, e o momento aconteceu. Os lábios se encontraram em questão de segundos, não dando tempo de respirarem. Pressionaram os lábios carnudos uma na outra, e aos poucos as línguas começaram a se explorar, desvendando os segredos ali guardados. Sophia percebeu que Jade tinha um gosto cítrico na boca, provavelmente de alguma bebida. Era um gosto bom, convidativo, e ela sentia desejo. Brincavam como duas crianças, revezando o beijo entre os lábios e a língua suave. As mãos de Jade saíram da face e enroscaram-se no pescoço delicado da outra mulher. A fada envolveu a cintura da pequena criatura e a apertou com força pela agitação. Os seios roçavam-se e as pernas se juntaram. Pareciam estar em apenas um corpo. Duas almas em uma carne. Essa era a sensação que Jade sentia. Sophia também.

No reflexo do momento haviam fechado os olhos para curtir a sensação do beijo, mas agora Sophia forçava-se a abrir para visualizar as maçãs do rosto rosadas da nova presa. Ao mesmo tempo em que se rendia à paixão, sabia que o sentimento pela cantora não era verdadeiro. Seria um passatempo para ela, pois nunca poderia amá-la com a mesma intensidade. Seu objetivo era outro, por isso não poderia deixar de ter o controle.

– Você me deseja? – perguntou Sophia para a mulher tatuada.

A outra, não conseguindo respirar entre o amasso e a pergunta, balançou a cabeça quase sem força, mostrando estar totalmente entregue a ela. Com uma força anormal, Sophia pegou Jade pela cintura e a fez ficar sentada na bancada branca, se encaixando por entre as pernas da humana. Aos poucos foi beijando os braços desenhados da cantora, passando pelo pássaro livre que ela possuía tatuado. A frase desenhada ao lado mostrava o desejo interior dela de poder fazer o que quiser.

No momento Sophia a deixava fazer o que quisesse. Interrompendo a sessão de pequenos beijos pelo corpo magro, a Leanan perguntou:

– Teria como cantar para mim? Somente para mim?

Jade não conseguiria negar um pedido como aquele, mas também não sabia se teria forças para cantar. Aos poucos, sons saíam da boca agora avermelhada pelos beijos da fada, e a música, que se tornaria a mais conhecida dela, começou a ser entoada. Aquilo deixava Sophia louca e parecia afetar Jade da mesma forma, pois constantemente seu corpo estremecia e a fada soltava um gemido involuntário.

– Como você é linda...

A Leanan não parava de elogiá-la, o que fazia a garota cantar com mais confiança. Quem a ouvisse acharia que a cantora havia surtado e que cantava como uma desequilibrada. Mas para Sophia aquilo era lindo.

As duas se amaram. Os gemidos foram constantes e os mais altos que a fada jamais ouvira. Jade deixava-se levar para outro mundo, outra dimensão, onde seria feliz com a possibilidade de experimentar aquela sensação tão gostosa. Quando viu que a cantora não parecia mais aguentar, cravou as unhas vermelhas na coxa branca dela e esperou pela energia que sentiria pela satisfação da garota. As veias ardiam, queimando mais do que o inferno. E aquilo era bom. Por que o inferno era considerado tão ruim assim se os prazeres dele eram tão bons? Não conseguia entender.

Naquele momento teve toda a vida de Jade em suas mãos. E se sentia bem por isso. Meta cumprida.

A relação entre as duas passava a ser prioritária. Agora Sophia focaria apenas na garota e em ninguém mais. Jade merecia a atenção. Por isso aproveitariam a nova música criada e formariam um novo álbum. Algo que atingiria todas as paradas de sucesso: desde os Estados Unidos até o Japão ou algum país do Terceiro Mundo. A querida amante receberia sua recompensa por ser tão maravilhosa. Aquele sempre foi um combinado coerente. Se a presa a satisfazia, ela a iluminava dando a maior inspiração do mundo. Por causa disso as duas passaram horas em cima dos papéis escolhendo as melhores canções. Também rolavam em cima deles enquanto faziam amor alucinadamente. Pegavam fogo e pareciam destinadas a ficarem juntas. Ou talvez não...

Doce ilusão.

Sophia sentia Jade se entregar com muita facilidade e de uma forma mais intensa que o necessário. Logo estaria com a carga de energia completa e teria que abandoná-la. Não havia um humano vivo para contar como era ficar sem sua fada, após ela se recarregar. O mesmo aconteceria com Jade. Por que a garota tinha de ser tão emotiva?

Precisava encontrar uma forma de a cantora dividir a paixão pela metade, para assim ficarem mais tempo juntas. Sophia não sabia muito bem qual seria o plano, mas encontraria uma forma de desacelerar a outra. Até porque toda a animação chegava a quase provocar uma overdose de sentimentos nela. Tudo tinha de ser controlado. Uma afeição de humano tinha o efeito de uma fileira de cocaína para a Leanan, se usasse muito da droga poderia morrer. Sem o humano ela não sobrevivia, porém com uma dose maior também corria o risco de sofrer. Como controlar isso parecia ser complicado. Contudo Sophia já tinha uma boa experiência, e Jade devia ser a trigésima pessoa que seduzia. Não cometeria erros.

As músicas ficaram prontas em pouco tempo, e em seguida a cantora mostrou o trabalho para o produtor. Precisava saber se ele aprovaria e se o conteúdo seria gravado. O sorriso do homem falava mais do que tudo. Era óbvia a alegria de todos da gravadora ao reconhecerem o enorme valor daquele álbum. A frágil, mas ao mesmo tempo, revoltada garota, havia produzido músicas incríveis de timbres e gingados perfeitos para a rádio. E uma música em especial poderia fazer muito sucesso. A letra era ousada, original. Nunca alguém havia escrito sobre vícios de uma forma tão despojada. Aquilo seria uma mina de ouro para o bolso deles. Claro que também investiriam uma grande soma na divulgação do álbum. Muitos a julgariam, provavelmente achariam inapropriadas as letras e ofensivas. Mas o produtor não se importava. Se a mulher fosse tão forte como aparentava, teria de se acostumar com aquilo. E se não se acostumasse, eles a teriam em todos os tabloides e principalmente nas rádios pelo menos por um tempo. Contudo Jade não pensava nisso. Para ela aquele álbum seria uma forma de liberdade e de poder falar o que pensava. Talvez agir da forma que queria, sem precisar consultar os pais, membros de bandas ou qualquer pessoa. A única que precisava estar ao seu lado era Sophia. Estando lá já fazia toda a diferença. O coração ficava mais leve, como uma pluma a sobrevoar o mar. Jade pensava em por que ficava assim, tão rendida ao amor daquela mulher. Talvez por ela ser a única que acreditou no valor dela desde o início. Os outros sempre duvidavam.

Mas agora não mais.

Outras músicas foram criadas pelo estúdio, e pessoas foram contratadas para acompanhá-la nas gravações e na futura turnê. Diversas gravadoras estavam furiosas por terem perdido tamanho talento. Até o visual de Jade parecia ser muito invejado. Mas ela não se importava com isso. A única coisa que a deixava brava era quando tentavam fazer algo que comprometeria a qualidade do seu trabalho. Não deixaria ninguém prejudicar o álbum feito com tanta paixão e melancolia. Também não teria como, pois no fundo sabia que Sophia a havia ajudado magicamente na construção dele. Com certeza impediria de tentarem prejudicá-la. Uma defendia e protegia a outra.

Pelo menos Jade achava isso.

Não tinha um dia de estúdio em que a fada não a acompanhasse. Tinha se tornado quase uma fiel escudeira, sempre a observá-la quando cantava nas cabines de gravação. O produtor chegava a comentar que muitas vezes Jade parecia distraída, olhando para o nada, fixando os olhos em algum ponto imaginário. Porém, ressaltava que nesses momentos ela cantava como um anjo e pedia para que continuasse.

O álbum estava pronto, e o lançamento se aproximava. O ânimo de Jade era muito inconstante, e às vezes Sophia não sabia como lidar com ela. Já havia se relacionado com artistas assim, mas Jade era uma mulher, e com as mulheres sempre parecia ser mais difícil. Por isso ficava na retaguarda, e tentava bolar um plano para dividir o afeto dela o mais rápido possível. Mas o futuro parecia estar do lado da Leanan Sídhe, porque em pouco tempo já tinha uma resposta para a questão. Havia um homem que poderia ajudá-la, e não seria difícil atraí-lo para aquela confusão. Foi por causa disso que Jade conheceu Phil.

– Sua música é linda – disse o rapaz magro para Jade ao cruzar com ela nos bastidores de uma casa noturna.

A garota ficou sem graça, o que não acontecia com muita frequência, e apenas sorriu. Reparou que ele tinha certo charme, apesar de quase parecer uma vareta. As tatuagens pelos braços e o chapéu preto como o de um gângster a atraíam. Quando deu por si estava a alguns minutos encarando o rapaz, ainda parado a sua frente. Sophia, invisível ao seu lado, apenas observava a cena. Jade percebeu o erro que cometia e olhou em pânico para a Leanan. A outra apenas gargalhou e mostrou não haver problema com aquilo.

– Só que eu te acho mais linda do que sua música – completou o rapaz.

Uma cantada romântica demais para um roqueiro de gravata cheirando a uísque.

– E o que você vai fazer a respeito disso? – questionou a cantora em tom sedutor.

Ele riu e disse:

– Te pagar uma bebida.

Ao falar aquilo pegou a mão fina da garota, levando-a para perto do bar com uma bancada repleta de copos diversos jogados por todo lado. Pelo canto dos olhos Jade procurou Sophia, com medo de perdê-la, mas a fada continuava a rir e a observar, encorajando a outra.

– Duas cervejas... – pediu o rapaz.

Antes de recebê-las notou o olhar de desaprovação dela e percebeu que cometia um equívoco.

– Melhor... Traga duas vodcas duplas.

Pelo sorriso de confirmação, o garoto notou que ganhava pontos com a cantora. Sabia que ela era conhecida e já havia ouvido sua música, mas não imaginava o futuro sucesso da garota.

Nem ela sabia disso.

Jade sentia-se confusa e quase dividida ao meio em relação ao garoto. A Leanan comemorava o sucesso de seu desejo. Com Phil na vida dela, talvez a garota sossegasse da obsessão pela fada. Sophia amava Jade da sua maneira e por isso não queria perdê-la tão cedo. Seria uma pena se ela morresse antes de o mundo inteiro ouvir sua voz. Nesse caso Phil seria essencial, porque daria uma sensação de humanidade a ela.

Desde que a Leanan entrara em sua vida, Jade não pensava em mais ninguém. Quase nem se lembrava dos pais, imagina se preocupar com algum homem. A fada já a satisfazia mais do que o necessário. No entanto, era evidente a atração pelo rapaz tatuado. Sentia tesão por ele. Não do mesmo nível que pela fada, mas era algo parecido. Jade chegava a se sentir triste pelo fato de a mulher não ligar para a atração que sentia. Quando foi para a cama com o roqueiro, a mulher só ficou observando e mordendo os lábios ao vê-la ser dominada por ele. A confusão de sentimentos era enorme e quase inexplicável. A cantora precisava de um pouco de paz na mente, mas aquela não havia sido a melhor hora para isso. O *single* do segundo álbum havia sido lançado, ficando entre as cinco músicas mais tocadas da Europa. E em poucas semanas, do mundo. Jade se transformava na grande estrela que deveria ser.

Alguns meses depois, Jade pôde mudar-se para uma nova casa em Camden Town.

– Baby, você toda hora parece dispersa – comentou Phil, enquanto ela fumava, sentada na sacada da nova casa.

– Você é que me enche a paciência o tempo todo – respondeu ela rudemente. – Preciso de um tempo sozinha. Você poderia dar uma volta, né?

Phil revirou os olhos castanhos em sinal de frustração. Desde que começaram a se ver era assim, um dia Jade se encontrava loucamente apaixonada por ele, no outro respondia com grosserias ou o atacava. Mas ele era louco por aquela mulher e continuaria tentando se entender com ela.

– Vou comprar mais bebida, então. Quer algo mais forte?

A mulher parou de olhar para o horizonte e virou-se para ele dizendo:

– A droga mais enlouquecedora que você achar.

Ele riu debochado.

– Essa você já tem. Sou eu.

Sozinha em casa a cantora pôde parar para respirar, tranquila. A vida não era mais a mesma, e a empolgação inicial com Phil, e até mesmo com Sophia, passava. Só tinha vontade de vomitar, usar mais pílulas entorpecentes, fumar cigarros proibidos e beber até passar mal. Alguma coisa acontecia com ela. Sentia-se cada vez mais fraca e irritada, até mesmo violenta. Precisava de paz, e aquilo parecia ser impossível.

A fama havia chegado e arrebatado sua vida. Agora vivia em ritmo acelerado. Sempre existia um evento para ir, muitas vezes, um grande show para fazer. Ela tinha se tornado a garota do momento. A cantora que todos ouviam e desejavam assistir ao vivo. Mal sabiam que ela quase não conseguia parar em pé de tanto maltratar o corpo e a mente. Precisava dar um jeito em sua situação humilhante.

– Você só sabe brincar comigo! – disse raivosa, numa tarde, para a Leanan Sídhe, que estava nua debruçada na janela do quarto.

A loira virou a cabeça e ainda de costas respondeu:

– Quem brinca com você é você mesma. Eu faço como o combinado. Você me queria e aqui estou. Também desejava o sucesso, e ele está mais do que evidente na sua vida.

– Mas eu não queria estar sofrendo assim. Sinto como se estivesse quase morrendo, e ainda por cima, existe Phil agora na minha vida me deixando louca.

A Leanan Sídhe riu.

– Você é louca, Jade! Só não percebeu ainda porque não quis. Phil é um homem terrível. Entendo que ele é violento, te leva a usar mais dessas porcarias, mas ele é o que tem te mantido viva. Não se pode ter tudo na vida.

– Quando você fala essas coisas sem sentido fico ainda mais furiosa – resmungou a cantora.

– Elas vão fazer sentido para você, menina. Só espero que no momento certo.

Ao terminar a conversa, a fada negra caminhou lentamente até a cama de estilo medieval, onde a cantora encontrava-se deitada apenas de calcinha. Tirando o cigarro da boca dela, beijou-a intensamente, iniciando mais uma sessão de amor.

Todos os dias a equipe de Jade aumentava, e ela não tinha mais controle do que acontecia na sua carreira internacional. Apenas existiam pessoas tentando fazê-la não se atrasar para os compromissos, marcados sem sua autorização. Esse parecia ser o preço do sucesso, da fama tão almejada. A cantora tentava entender a confusão catastrófica. Passava os dias bebendo misturas alcoólicas exóticas e aparecendo em programas idiotas de TV. Phil quase sempre a acompanhava, e Sophia aparecia pelo menos uma vez por semana. A garota sentia falta da fada e queria resgatar aquele momento em que criou as músicas, quando estava sempre perto dela, porém Sophia dizia ser necessário o afastamento. Mas Jade não compreendia. Então, se dedicava cada dia mais ao namorado. Afinal ele estava ali, apesar de ela não entender o motivo. Seria por dinheiro? Ele a amava de verdade? Jade vivia se questionando, porém respostas como aquelas seriam difíceis de serem respondidas.

Em uma tarde quente de quase fazer uma pessoa normal desmaiar em plena avenida, a cantora se encontrava largada no sofá, após a terceira carreira de pó branco conseguido por Phil em um dos bairros pobres da cidade. O humor dela estava péssimo, e o rapaz tentava se distrair com alguns amigos pela enorme casa da mulher. Ele comemorava, pois a havia pedido em casamento na noite anterior durante um jantar, mais parecido com uma degustação de vinhos. O estranho foi que Jade aceitou sem nem pensar. O "sim" foi tão espontâneo que até ele se assustou. Talvez com o casamento, Sophia lhe desse mais atenção. Ser quase abandonada pela fada a machucava muito.

– Minha gostosa! Hoje é dia de celebrar – disse Phil aproximando-se do sofá com uma garrafa de tequila na mão. – Vamos nos casar e você está aí parada.

As palavras saíam confusas. O rapaz tinha bebido muito durante o dia e provavelmente tomado ecstasy para estar tão amoroso.

– Me deixa em paz – murmurou a garota virando para o outro lado do sofá.

– Olha só, James! – gritou o roqueiro para um amigo ruivo que estava do outro lado da sala. – Nem casou ainda e já está me ignorando.

Os dois riram, lembrando dois bobos da corte sem graça, o que fez a fúria crescer no peito da cantora. Quase esqueceu que estava drogada. Parecia mais lúcida do que qualquer CDF em dia de exame final. Ela sentia raiva dele. Por que pensava em se casar com aquele monstro? Ele merecia estar preso em uma cadeia superlotada.

– Seu filho da mãe desocupado! – gritava ela pela casa com as veias saltando do pescoço. – Só sabe viver às minhas custas e se meter em encrenca. Quero que saia da minha frente e leve todos esses perdedores e essas vagabundas para fora da minha casa. Saia agora antes que eu te mate!

Jade tinha a face afogueada, soltava as palavras como se fossem chamas. Enquanto levava o noivo para fora aos socos e tapas. Algo errado para um casal prestes a se casar. Na verdade, errado para qualquer tipo de casal.

Acostumado com os ataques da mulher, Phil revidou a agressão com um tapa na cara e saiu batendo a porta ao passar, quase quebrando o vidro. Jade caiu no chão com o movimento brusco e ficou deitava no piso gelado com as mãos na face ardida por alguns minutos. Precisava se acalmar e tentar achar uma solução para os problemas. Chorava como um bebê e não entendia qual era a pior parte daquela situação. Suas atitudes estavam completamente erradas, mas o garoto também não ajudava, sempre dependente e alterado, revidando quando não precisava.

– Mais uma vez no chão? – disse Sophia calmamente a cantora ainda jogada no piso, como em total decadência.

A Leanan observava a cantora no momento em que foi agredida pelo neurótico noivo. Jade, ao vê-la ajoelhada a seu lado, movimentou-se o mais rápido possível e a agarrou pela cintura como uma criança precisando de colo. Chorava de ensopar o vestido amarelo da fada e praguejava contra todas as entidades conhecidas por ela.

– Não adianta você culpar os deuses pelas suas atitudes – disse Sophia.

– Eu não fiz nada para merecer tudo isso – retrucou a garota entre longos suspiros. – Minha vida sempre foi uma bosta.

A Leanan Sídhe se mostrou chateada.

– Como é ingrata! Nasceu com um dom incrível, tem uma família até dedicada e está tendo a oportunidade de ter uma carreira invejada por muitos. Qual é o seu problema?

Jade não sabia responder.

Meses passaram e foram se transformando em anos. Nunca um álbum havia recebido tantos prêmios e tanta atenção da mídia. O engraçado era que Jade não dava a mínima para aquilo, faltava aos shows, saía em tabloides pelas inúmeras brigas e aparecia na televisão portando substâncias ilegais. Ela implorava para ser odiada, e as pessoas continuavam a idolatrá-la. Agora, sendo uma mulher casada, enfrentava os dilemas da vida conjugal, e Phil não mostrava sinais de ser um bom marido, como se esperava. Os dois viviam brigando e na maioria das vezes saíam com hematomas pelos corpos, já tão magros por tanta substância ingerida. Os dois se matavam aos poucos, enquanto Sophia apenas observava. Para ela nada mudava. Jade continuava a cantar pelos palcos do mundo, e a fada obtinha a energia necessária. Percebia o desgaste da amada e sabia que logo Jade não aguentaria mais. O pior era que antes disso não aprenderia o real valor da vida.

Sophia via muitos artistas lutarem contra as drogas, a fama e a solidão. No final, a maioria reconhecia os erros e tentava sair dessa vida para uma melhor. Não conseguiam, porque, se eram afetados por uma Leanan Sídhe, um fim trágico os aguardava, mas pelo menos iam com a consciência um pouco mais tranquila. A fada temia que Jade não tivesse uma passagem tão tranquila assim. Ela não conseguia ver bondade no mundo, não praticava o bem. Sua música podia salvar vidas, contudo não se importava.

Em mais uma semana complicada, Phil voltou para casa sangrando. Mesmo irritada, a garota ficou preocupada e queria saber o que havia acontecido. Ele se recusou a falar. Mas ela era Jade, a cantora mais famosa de sua geração, seria impossível esconder algo assim. Em breve a notícia estaria circulando pelos tabloides, sendo comentada em alguma parte.

No dia seguinte chegou a intimação, e depois de alguns meses ficou evidente que Phil iria para a cadeia. Ele tinha se metido em mais uma briga e pelo visto aquela havia sido feia. A data foi marcada e agora ela chorava, pois, mesmo sempre brigando, amava o marido. Os dois tinham um amor perturbado, chegando a ser doentio, mas no fundo realmente se amavam. Aquele afastamento seria uma tragédia.

No entanto, a vida não podia parar, e em pouco tempo Jade estava novamente no palco. Precisava fazer turnês e ganhar dinheiro, ainda mais agora que o marido seria preso. Só percebia que na maioria das vezes acabava ficando com a menor parte do lucro. Sentia-se enganada.

Chegou atrasada ao país onde faria o show e com as dores dos últimos ferimentos. Tinha começado uma mania de se automutilar, como se beber até a morte já não fosse o bastante. Quando subiu ao palco ouviu vaias em alto tom, afinal ela estava atrasando o show da banda seguinte. Seu visual apreciado por muitos estava horroroso e a voz quase não saía, extremamente rouca. Não deveria estar lá em cima. Culpava a equipe por forçá-la a subir. No meio de uma das músicas lembrou-se do marido e do fato de que o iria perder. A distância não faria bem para os dois. Podia sentir o fim do casamento no peito dolorido. Ela teve de se segurar para não chorar. Diante dos fãs tinha de se manter uma rocha. Não podia derramar uma lágrima, mesmo querendo chorar durante o show inteiro. O marido fora enfim preso, e se via desamparada. Sophia ficava cada vez mais distante. Jade sentia-se usada e não entendia que tipo de magia aquela fada possuía. Ela parecia o demônio em pessoa. Só havia trazido desgraça para sua vida. Por que tinha se envolvido com ela? Jade não entendia. Mesmo assim, sentia falta dos beijos, dos toques no corpo, do hálito no pescoço, principalmente das besteiras murmuradas. Se não podia ter Phil a seu lado, pelo menos a fada poderia voltar para ela.

Doce ilusão.

Sophia não tinha mais interesse na garota. Ela já era uma grande estrela e tinha cumprido seu dever. O amor da fada por ela morria aos poucos, pois a Leanan no fundo não era maligna e sentia-se triste pela falta de força de vontade da garota, até pela falta de bondade que percebia nela. Se ela tivesse um pouco de fé, amor ou talvez compaixão verdadeira por alguém, conseguiriam ficar juntas por mais um tempo. Contudo, a cantora não mostrava isso e aprenderia o poder do perdão da forma mais trágica.

Era uma noite tranquila no agitado bairro de Camden Town. Como era baixa temporada, não havia tantas pessoas circulando pela vizinhança, mesmo ainda tendo alguns garotos de moicanos passeando pelas ruas desertas de lojas punks fechadas. Jade encontrava-se sozinha em casa, debruçada sobre o sujo vaso sanitário, quase inconsciente. Mais uma noite havia abusado das drogas e bebidas. Sentia que precisava de socorro. Só que dessa vez não havia alguém para ajudá-la, pois o marido continuava trancafiado. Existiam os seguranças, mas eles vigiavam o exterior da casa. Seria difícil perceberem que ela passava mal no banheiro de hóspedes. O pânico tomava conta dela a cada minuto. A garganta parecia estar fechando, sentia-se tonta e totalmente sem forças. Já começava a se despedir do mundo. Conseguia o que queria e tentaria ser livre. Mas pensava no fato de que, mesmo morrendo, Sophia não aparecia. A fada tinha realmente a abandonado. Aquele era o único pensamento na mente dela, antes de os olhos fecharem e do silêncio invadir sua alma.

Parecia ser o fim. O final da música.

Existia uma luz. Pelo menos ela sentia a claridade tentando invadir os olhos irritados. Aos poucos os sentidos foram voltando feito um passe de mágica e começava a ouvir barulhos sem sentido e a sentir cheiros fortes ao redor. Porém, não eram barulhos conhecidos, e os cheiros pareciam de álcool, mas não o tipo a que estava acostumada. Tentava forçar as pálpebras, contudo parecia algo impossível. Só havia um pequeno rasgo e era dele que entrava a luz. Aquela estranha luz. Quando se acostumou com a claridade, sentiu-se relaxada, com o corpo mais leve. Praticou mais uma vez o ato, e agora os olhos davam a impressão de responder. Foi abrindo-os lentamente, como se esperasse o momento de fechá-los correndo. Mas nada aconteceu. Jade apenas viu os grandes e redondos olhos verdes de sua mãe a encarando.

– Não vou dizer que isso foi um susto, pois está virando rotina – começou a falar a mãe com uma expressão indecifrável. – Mas, minha filha, me diga como posso ajudá-la. Não quero te perder.

A súplica parecia sincera. Jade ainda se acostumava com a claridade, mas, mesmo zonza, sentiu a honestidade em cada palavra da mãe. Percebia que mais uma vez havia parado no hospital, contudo não lembrava como. Havia apagado no banheiro e ninguém passaria por lá tão cedo. Perguntava-se como tinha chegado ao hospital.

– Você deu sorte. Se eu não tivesse pressentido que estava mal, provavelmente estaria morta nesse momento – disse a mãe.

– Como assim? – questionou a cantora com a voz ainda rouca.

– Quando fui dormir, iniciei minha oração e pedi aos santos que te guiassem. Senti um aperto forte no peito e em seguida ouvi perto do ouvido uma voz suave falar seu nome. Não sei como isso aconteceu, mas naquele momento sabia que você corria perigo. Liguei na hora para os seguranças e dei autorização para a procurarem. Não aguentei nem esperar a resposta deles e me dirigi para sua casa. No meio do caminho já tinham me retornado avisando do seu desmaio. Você estava com os batimentos cardíacos muito fracos. Quase morreu. Você sabe como uma mãe se sente ao receber a notícia de que sua filha quase partiu?

Jade agora via lágrimas cristalinas deslizarem pelo rosto redondo da mãe. Sentia-se um lixo por tê-la feito sofrer assim. A mãe não merecia aquilo. A cantora percebia que seus atos não prejudicavam somente a ela. Toda a família ficava envolvida nesses casos. Estava cansada de passar noites em hospitais e de magoar todos a sua volta. Vendo a mãe chorar percebia o veneno de suas atitudes. Tinha que se cuidar. Por sua mãe, seu pai e principalmente por ela mesma. No fundo sentiu uma pontada de felicidade no espírito. Pelo relato da mãe, Sophia havia voltado para ela. Somente a Leanan tinha o poder de avisar a mulher sobre o desmaio. Jade ficava intrigada com toda a situação.

– Me desculpa! – sussurrou a garota.

A mãe soltou um suspiro pesado.

– Temos que bolar formas mais eficazes do que desculpas – disse ríspida. – Seu pai e eu pretendemos te internar. Você precisa se cuidar, minha filha.

A cantora levou um choque. Os pais sempre se mostraram animados com a ideia de interná-la em uma clínica de reabilitação, mas nunca haviam imposto a situação. A excitação parecia ser bizarra, mas era normal para pais de adictos. Eles a queriam limpa. Queriam seu bebê de volta.

Jade ficou pensando por alguns minutos sem falar com a mãe. A outra respeitou o momento. Uma situação madura acontecia. As duas dialogavam sobre a saúde e a segurança da garota. Ela, que sempre se sentia deixada de lado, agora notava a preocupação da família.

– Tudo bem – respondeu.

Foram duas palavras mágicas. E, naquele momento, Sophia apareceu no quarto do hospital em sua forma de fada, e Jade abriu um enorme sorriso. A mãe da garota pensou ser para ela aquele belo sorriso, e beijou a testa da filha. Nascia ali uma semente de esperança para Jade.

Foram idas e vindas de clínicas de reabilitação de luxo. A garota tentava se acostumar com a ideia de dividir seus sentimentos com estranhos. Após longas sessões de terapia, aos poucos Jade foi tomando um pouco de juízo. Algo que nunca teve. Precisava tomar novos rumos. Tinha a família para cuidar e uma carreira a esperava. Se os pais, fãs e equipe não acreditassem nela, não tinha mais motivos para viver.

Desde a aparição no hospital, Sophia não a havia visitado. A cantora entendeu aquilo como um sinal de incentivo. Cada vez que ela tomasse uma decisão certa ou melhorasse em alguma coisa, provavelmente a fada apareceria. E ela queria aquilo. Sentia falta da Leanan.

– Ficamos tão felizes com seu progresso – comentou a mãe em uma das visitas.

– Estamos orgulhosos de você – completou o pai.

O casal que estava quase na terceira idade encontrava-se próximo a sua cama na nova clínica. Ela apenas os encarava. No final, acabou rendendo-se a uma conversa amigável.

Quando percebeu a leveza em seu corpo, Jade notou que era a hora de mudar sua vida. Saiu da clínica e voltou para casa. A mãe tinha contratado uma empregada e o local se encontrava impecável, bem diferente do de antigamente. Decidia as últimas questões pendentes da atual vida e pensava em uma forma de botá-las em prática.

Pouco tempo depois, Phil recebia na prisão os papéis do divórcio. Outras pessoas também ouviram sobre a volta dela. Inclusive o produtor de sua gravadora ficou animado em ver a artista voltando às atividades. Jade resolveu também ajudar outras pessoas, em especial crianças de países mais pobres. Aos poucos tomava consciência do seu papel no mundo. Tinha vindo para aquele local com propósitos maravilhosos e agora começava a entender.

Ficou firme nos objetivos por um tempo. Resistiu às tentativas de contato de Phil, aos convites para festas de supostos amigos e tentou ficar longe da amada bebida, mas parecia ser bem mais difícil do que imaginava. Os ensinamentos do tratamento eram eficazes, mas ela era fraca e por isso, mesmo tentando ficar firme, tinha suas recaídas.

Sophia, mesmo já estando envolvida com outro artista, ainda tinha contato com Jade, afinal o destino delas não estava completo. A cantora havia sido um dos relacionamentos mais longos de sua vida, porém sentia o fim se aproximando. Viu atos bons começarem a ser praticados por ela, mas determinação parecia ser uma questão difícil para a cantora. Percebeu que precisavam conversar novamente, e talvez essa fosse a última conversa delas.

– Olá, Jade!

A fada aparecia em uma manhã de domingo em que a cantora não tinha conseguido dormir. Ela havia passado a madrugada toda fumando cigarro na sala, assistindo a vídeos de apresentações suas dos últimos meses. Não conseguia pensar em programa de sábado à noite mais depressivo que aquele.

Quando percebeu a Leanan Sídhe na sala, largou o cigarro no cinzeiro ainda aceso e saiu correndo para encontrá-la. Não deixou a fada dizer mais uma palavra e a tomou nos braços beijando-a com a intensidade que há tempos não sentia. Sophia ficou em choque pela atitude, mas havia sido boa. Com o contato dos lábios dela, recuperou a sensação de prazer. Sentiu a energia entrando no corpo conforme a sugava pela boca da cantora. Fez bem em visitá-la. Precisava daquela nova dose de adrenalina.

Parecia que ficaram horas se beijando, entregando-se ao amor de longos meses e várias noites. Abismada, Jade percebeu que não buscava sexo na sua relação com a fada, somente a queria perto. Sophia percebeu isso também e ficou feliz. A cantora ainda tinha muitos defeitos, mas estava amadurecendo, e talvez em uma próxima vida pudesse consertar esses defeitos, afinal já estava no caminho para isso.

– Você demorou... – sussurrou a jovem.

– Mas você sempre soube que um dia eu voltaria – respondeu Sophia.

A garota abraçou a fada mais uma vez com força, apertando seu corpo com uma vontade absurda.

– Sinto como se esse fosse o último abraço.

Sophia beijou a testa da garota.

– Nunca será o último. Vamos ficar juntas para sempre.

– Nas suas marcas? – questionou a cantora.

– No meu coração – respondeu a fada.

Sentindo pela última vez o gosto do mel da boca da eterna fada-madrinha, Jade percebeu que iria morrer. A Leanan se afastava, e sua vida havia se transformado em um caos. Mesmo querendo viver e se achando invencível, sabia que no mundo era apenas uma alma complicada em processo de evolução. Tinha um caminho longo pela frente, mas tentaria aprender com os erros daquela vida e quem sabe em uma próxima, após passar pelas dificuldades, ela poderia começar o caminho pela paz. Precisava acalmar pelo menos uma alma antes de partir daquela vida, e por isso chamou a mãe para um jantar.

– Muito obrigada pelo jantar, filha – comentou a mulher ao deliciar-se com o último pedaço de medalhão de frango. – Sinto falta de momentos como esses.

Jade deu um gole em sua água gelada, pois evitava beber na frente da mãe, e olhando-a nos olhos disse:

– A senhora merecia muito mais de mim.

A mãe riu do comentário.

– Não existe mãe mais orgulhosa do que eu no mundo, meu amor. Você não precisa ser tão dura consigo mesma.

Foi a vez de a cantora rir. Até no final, a mãe tentava poupá-la de seus problemas. Ela confundia esta forma dos pais de demonstrar preocupação com indiferença. Pensava em como havia sido burra todo aquele tempo.

– Eu te amo! – sussurrou Jade.

– Eu também te amo muito... – respondeu a mãe.

Aquelas foram as últimas palavras entre as duas. Na verdade, as últimas palavras da garota naquela vida atormentada.

Em um dia normal sem nenhum acontecimento diferente na grande cidade, o segurança de Jade a observava pela janela. A cantora estava presa dentro da casa havia alguns dias e não saía para nada, o que era estranho.

Parecia ter dormido mais uma vez no sofá, mas fazia algumas horas que se encontrava na mesma posição, e ele começava a se preocupar. Não era a primeira vez que ela ficava assim, e sempre tinha que ajudar a patroa a se recompor de seus excessos após noitadas agitadas. Aguardou mais alguns instantes, mas não conseguiu ficar muito tempo parado. Entrou na casa e cutucou-a para ver se estava bem.

Não houve reação. Nenhuma resposta.

A ambulância foi chamada, e a garota foi levada inconsciente ao hospital. Pouco tempo depois já existia um mar de pessoas na frente de sua casa e do local em que cuidavam dela. Mas tudo aquilo era inútil. A alma de Jade já tinha sido levada pela Leanan Sídhe havia horas. A cantora finalmente deixava aquele mundo. Havia fugido de sua escuridão.

O relatório final mostrou que ela havia ingerido quase duas garrafas de bebida em uma noite sozinha. Um absurdo, mas que talvez não matasse uma pessoa saudável. Mas seu corpo maltratado não resistiu.

O segurança achou estranho, pois durante a noite a observara, e apenas a viu sorrindo, assistindo à televisão, parecendo em paz. Ele pensava em como ela havia conseguido beber tanto durante aquela noite. Aquilo ele nunca saberia, porém era intrigante.

E com 27 anos a rainha do pop jazz deixava o mundo em lágrimas. Um mundo que tentou cuidar dela. Que lhe quis dar carinho.

Mas ela teimava em dizer não.

E não.

E não.

Minha história...

Minha vida mudou por causa de uma fada, mas na verdade tudo começou com um bruxo. Aos 11 anos de idade, eu não tinha uma vida muito legal. Meus pais constantemente brigavam, sempre tive paixonites por garotos errados e sofria *bullying*. Era a gótica, a esquisita, a excluída do colégio. O tipo de garota que as populares gostavam de pegar no pé todos os dias. Nesse tempo, também me questionava sobre muitas coisas, entre elas fé, amor, beleza, vida, e mais outros assuntos que sentia ser muito nova para lidar.

Foi nesse período da minha vida que uma amiga do colégio me propôs uma aposta e senti que não podia recusá-la. Eu precisaria ler um determinado livro e ela duvidou que o faria em uma semana. Quando peguei o exemplar não gostei e nem sabia o quanto minha vida iria mudar.

Mas naquele dia fui apresentada a *Harry Potter e a pedra filosofal*.

No final da semana, eu não tinha lido apenas o primeiro livro e sim os quatro exemplares da série. Fiquei completamente viciada e senti um pouco de luz entrando na minha vida. Aquela magia me ajudou a superar grandes batalhas que tive em seguida, como o divórcio complicado de meus pais. E foi nesse ponto que uma fada entrou em minha vida.

Aos 16 anos passei por uma forte crise de depressão e cogitei se ainda tinha forças para viver. Pode parecer dramático, ainda mais vindo de uma menina saudável e jovem, mas não me sentia com saúde. Na verdade, sentia-me vazia. Tinha perdido uma figura importante em um curto espaço de tempo e nem os personagens dos livros me ajudavam mais. Foi nesse momento de desespero que tive um sonho.

Sonhei com uma fada e com uma história de amor.

No dia seguinte, comecei a rabiscar aquele romance em um papel e logo estava horas na frente do computador escrevendo. No terceiro capítulo percebi que estava criando um livro. Nove meses depois, ao finalizar a obra, sabia que alguma coisa havia mudado.

Foram quatro anos lutando para a obra ser publicada. Várias cartas de recusas, momentos de choros, originais tacados na parede e sensações de fracasso. No fundo, sabia que estava apenas batalhando para atingir o meu objetivo. Era algo degrau por degrau. Aos poucos fui pauta de matérias na *Folha de São Paulo*, no *Estadão*, no *Disney Channel* e na revista *Época*. Publiquei meu livro por uma editora pequena, e levaram anos até a republicação por outra maior. Algum tempo depois veio a notícia de que eu havia ganhado o Prêmio Jovem Brasileiro de melhor escritora jovem do ano por *A fada*. E então, entrado de vez no radar do mercado editorial, quando houve a mudança para a Fantasy – Casa da Palavra.

Atualmente são oito anos de carreira, e, com meu segundo livro *O inverno das fadas*, ainda mais coisas aconteceram. Vimos tiragens se esgotando, listas aparecerem, e recebemos o carinho de centenas de pessoas ao longo de eventos incríveis. Ao final da Bienal de São Paulo, depois de sete horas atendendo aos melhores leitores do mundo e respondendo que não – eu sei que parece muito –, não era a modelo da capa – descobrimos que o livro havia se tornado o mais vendido no stand do grupo Leya BR, atrás apenas do último livro do autor George R.R. Martin. A sensação era marcante. Alguns poderiam olhar para aquilo e ver números.

Eu só conseguia ver a realização de um sonho.

Por tudo isso, acredito que este livro que você tem em mãos nesse momento é um pedaço de mim e me mudou completamente.

Minha própria vida contou com alguns elementos de um conto de fadas, com suas melhores e piores partes, e agradeço muito a todos por me ajudarem nessa trajetória.

Gostaria de então agradecer aos meus pais, João Carlos Honório e Cleonice Munhóz, que se mostraram prestativos, oferecendo-me todo o incentivo de que precisava, além de minha querida irmã Carla Munhóz Honório. À amiga Fatima Helena Loureira Pereira, por sempre me socorrer. À família Albuquerque, por ter me acolhido e ajudado no processo final deste livro, e a família Murad/Haroun, minha *host family*, que me ajudou a realizar um grande sonho: sentar na Trafalgar Square pela primeira vez. Foi, sem dúvida, um dos momentos mais lindos da minha vida. E também, obviamente, à maravilhosa equipe da Casa da Palavra.

Por fim, mas não menos importante, agradeço à "pessoa" que me motivou a escrever este livro. O mundo é estranho. Às vezes, acontecem coisas inexplicáveis que mudam toda uma vida e esse foi o caso.

A Mel entrou nela rápido e da mesma forma saiu, mas a marca que deixou foi profunda e acho que nunca a esquecerei. Fiz-lhe uma promessa de vencer e de realizar meus sonhos. Estou feliz de poder cumpri-la. Contudo o mundo deu suas voltas e nos separamos, mas sei que o destino nos uniu com um propósito. A única certeza que tenho é que um dia irei reencontrá-la. Nesta ou em outra vida.

Este livro é em sua homenagem, Mel.

Que as fadas te iluminem.

Carolina Munhóz

1ª reimpressão	*Junho de 2013*
impressão	*Sermograf*
papel de miolo	*Lux Cream 70g/m²*
papel de capa	*Cartão Supremo 250g/m²*
tipografia	*Minion Pro*